Cooking with the Queen 2

발행일	초판 1쇄 2014년 2월 28일
4쇄	2023년 3월 15일
기획	**앱스톤** 스토리쿡 사업팀
발행인	여상욱
지은이	홍수정
발행처	도서출판 앱스톤
주소	경기도 김포시 김포한강8로 169
전화	02-501-0352
팩스	02-6280-0352

Staff

진행·에디터	김시원
포토그래퍼	여상욱
영상촬영/편집	김지희
편집디자인	앱스톤
교정·교열	임대근
요리 어시스트	정경수, 정유승
촬영지원	(주)티케이인터내셔널/더키친

ISBN 978-89-958299-5-0 13590
16,000원

Cooking with the Queen 2

도 서 출 판
APPSTONE

COOK
INDEX

COOK INDEX

퀸 요리의 기본

부드럽고 맛있는

흰 쌀밥과 진한 육수,

그리고 맛있는 소스까지.

퀸 요리의 기본을 소개합니다.

{ 암웨이 퀸의 모든 것 }

1. 퀸의 독특한 특징을 만나보세요.

40년 이상 사랑받고 있는 암웨이의 퀸.
열전달에 뛰어난 다중구조의 팬과, 팬 속의 수분으로
반 진공상태를 만드는 수봉현상을 바탕으로
사용자의 편리를 생각한 인체공학적 디자인까지.
독특한 특징들로 사용자를 최대한 배려한 암웨이 퀸만의 다양한
조리법을 사용한 요리 비법들을 소개합니다.

2. 퀸으로 건강을 생각합니다.

주방에서 다양하게 사용하는 조리 기구 중,
알루미늄은 세척이 어렵고 중금속의 위험이 있으며
법랑은 요리 시간이 길고, 강도가 약해 흠이 잘 납니다.
이런 부분을 보완하는 조리 기구로는 코팅 제품들이 있지만,
코팅제가 벗겨지기 때문에 자주 교체를 해야 하는 단점을 가지고 있습니다.
스테인리스 제품은 그에 비해 위생적이고 건강에 좋지만
열전도가 조금 낮은 단점이 있지요.
암웨이 퀸은 강도가 높고 위생적인 18/8 스테인리스 강철을 이용해
다중구조로 제작된 조리 기구입니다.
스테인리스 제품의 단점을 보완해
열전도가 빠르고 보온성도 탁월하며 세척도 간단합니다.

3. 퀸으로 영양을 극대화합니다.

퀸의 가장 큰 특징인 '수봉현상'은 본체와 뚜껑 사이에
수막이 형성되는 현상입니다.
이 수막으로 본체 내부는 반 진공상태가 되어
내부에 고르게 열을 전달합니다. 또한 열과 수분이 밖으로
나가는 것을 최대한 막기 때문에 적은 물로 요리하는
저수요리가 가능하고, 물에 용해되기 쉬운 비타민 등의
영양소 파괴가 줄어든답니다.
또한 재료 자체의 수분과 맛도 지켜줍니다.

4. **퀸**으로 맛있게 조리합니다.

고소하고 맛있지만 지방을 사용해서 건강이 염려되던
튀김이나 볶음.
은근히 걱정되셨지요?
퀸은 적은 기름을 사용하고도 맛있는 요리를
만들 수 있는 저유 요리가 가능합니다.
또한 재료 자체의 지방을 사용하는 퀸의 조리법은,
재료가 가진 맛과 영양을 충분히 살리므로
양념을 많이 넣지 않아도 맛이 있답니다.

5. **퀸**으로 빠르고, 쉽고, 편리하게 조리합니다.

다중구조로 이루어진 퀸은, 냄비를 두 개 쌓아서 요리를 만들 수 있을 만큼,
균일한 열전달이 가능합니다.
또한 보온성도 뛰어나서 짧은 시간에 조리가 가능합니다.
튼튼한 스테인리스 재질이라 사용 후 설거지가 용이하고,
또한 겹쳐 쌓아 보관할 수 있도록 제작되어 뒷손질도 간단 하답니다.

6. **퀸**으로 경제적으로 조리합니다.

저온, 저수, 저유요리가 가능한 퀸!
균일하게 열을 전달하고, 보온성도 높은 퀸은 단시간에 조리가 가능해
전기, 가스 등의 에너지와 수도요금까지 절약할 수 있습니다.
건강에 좋은 요리를 집에서 쉽게 만들 수 있으니 외식비도 줄어들겠지요?

암웨이 퀸의 활용

암웨이 퀸을 세척합니다.

— 튼튼하고 녹이 슬지 않는 스테인리스 재질로 만든 암웨이 퀸은
눌어붙지 않아 세척이 아주 쉽습니다.

— 처음 사용하실 때는 디쉬 드랍스와 암웨이 소프트 버즈로
표면을 깨끗이 씻어 제조 및 유통 중의 먼지 등을 세척하세요.

— 사용하시는 동안에는 팬의 열이 완전히 식기 전,
디쉬 드랍스를 스펀지에 살짝 묻혀 닦아주는 것만으로도 충분합니다.

암웨이 퀸을 사용합니다.

— 불의 세기가 강한 경우 겉면이 변색됩니다. 불의 세기에 주의하세요.

— 사용이 끝난 뜨거운 냄비를 찬 물에 담그는 등
갑작스러운 온도 변화는 피해주세요. 변형의 위험이 있답니다.

냄비 속이 타는 경우는 불이 너무 강하거나 예열이 충분하지 않은 경우,
— 물이나 기름의 양, 재료의 양 등이 냄비와 맞지 않는 경우를 생각할 수 있습니다.
냄비의 2/3 정도의 물을 넣고 2~3분 끓인 후 식혀 세척하면 됩니다.

암웨이 퀸을 보관합니다.

보관 중 보이는 흰색 반점은 수돗물이나 재료의 미네랄에 의한 응고입니다.
— 스테인리스는 염분에는 비교적 약해 조리 후 장시간 방치하거나
음식물을 장기간 보관하는 것은 좋지 않습니다.

— 세척 후에는 물기를 깨끗하게 제거하고 보관하세요.

— 냄비에 뚜껑을 넣어 큰 제품부터 겹쳐 쌓아 수납하면
좁은 장소에도 효율적으로 수납이 가능합니다.

스튜포트

삶기, 찌기, 조림 요리 등에 사용.
스티머, 칸막이판, 만능 컵,
안 냄비와 조합 가능.

3중 구조 / 내경 약 24.2cm /
깊이 12.7cm / 용량 5.7L /
6L 돔형 커버 내경 약 24cm

스티머

스튜포트, 대형 프라이팬과
겹쳐서 사용 가능.
내경 약 24.2cm / 깊이 11.0cm

중형 프라이팬

굽기, 튀기기, 볶음 요리 등에 사용.
오븐을 이용하는 요리 등에도 사용 가능.

7중 구조 / 내경 약 19.2cm /
깊이 6.0cm / 용량 1.8L

다기능 용기

6개 한 세트로 칸막이 판에 설치하여
찜 요리 등에 사용.

내경 약 6.5cm / 용량 70cc

다기능 찜받침

6L 스튜포트, 대형 프라이팬과
조합하여 찜 요리 등에 사용.

웍_전골냄비

볶음, 튀기기, 삶기, 찌기 요리 등에 사용.
식탁 위에서의 사용을 고려한 디자인.

7중 구조 / 내경 약 30.0cm /
깊이 10.0cm / 용량 4.6L

돔형 뚜껑

스튜포트의 뚜껑이며
볼 대용으로도 사용 가능.

3중 구조 / 내경 약 18.0cm /
깊이 8.0cm / 용량 2.0L

중형 소스팬

삶기, 찌기, 굽기 요리 등에 사용.

3중 구조 / 내경 약 18.0cm /
깊이 8.0cm / 용량 2.0L

대형 프라이팬

굽기, 튀기기, 볶음 요리 등에 사용.
오븐을 이용하는 요리 등에도 사용 가능.
다기능 용기와 돔형 뚜껑과 조합하여 사용 가능.

7중 구조 / 내경 약 24.2cm /
깊이 6.8cm / 용량 3.0L

중탕용 이중냄비

대형 소스팬, 중형 프라이팬과 조합하여
이중냄비로서 중탕 등에 사용.
틀이나 그릇으로도 사용 가능.

내경 약19.0cm

대형 소스팬

삶기, 찌기, 굽기 요리 등에 사용.
다층 요리 시에도 조합 가능.

3중 구조 / 내경 약 19.2cm /
깊이 10.2cm / 용량 3.0L

소형 소스팬

삶기, 찌기, 굽기 요리 등에 사용.

3중 구조 / 내경 약 18.0cm /
깊이 8.0cm / 용량 2.0L

요리를 빛내주는—
제품들

참기름

정기품 북촌옥 참기름.
국내산 참깨만을 사용하여
저온 압착한 참기름으로 진하고
고소한 맛과 향이 일품입니다.

고추장

정기품 찹쌀고추장.
국산 재료로 만들어 더욱 깊은
맛을 내는 고추장.
발아 현미 찹쌀을 사용하여
그 품질이 더욱 뛰어납니다.

미역

정기품 완도 진상각 미역.
어린 미역을 기르고
채취한 것으로
요리에 편한 자른 미역을
사용합니다.

들기름

정기품 북촌옥 들기름.
국내산 들깨만을 사용하여
저온 압착하여 진하고
구수한 맛과 향이 일품입니다.

원액

라임트리 컬렉션.
유자원, 매실원, 복분자원으로
구성되어 음료 및 각종 요리에
사용합니다.

참치 통조림

동원 참치.
남태평양 싱싱한 황다랑어에
올리브유를 첨가하여
깔끔한 맛이 특징입니다.

송화소금

소금을 800도 이상에서 구워
쓴맛을 제거하고 송화분을 혼합
하여, 본래의 음식 맛을 살려줍니
다. 입자가 고와서 적은 양으로도
충분한 맛을 냅니다.

식초

하인즈 화이트 식초.
옥수수로 만든 화이트 식초로,
일반 식초보다 산도가 낮아
부드러운 맛이 특징입니다.

암웨이 나이프

아이쿡 나이프웨어는 인체공학
적인 디자인이 돋보이는 요리용
나이프로 나이프 전문가인
켄 오니온이 개발했습니다.

쌈장

정기품 녹차 쌈장.
보성의 녹차 추출액을 첨가하여
국산 양념을 듬뿍 넣은 쌈장으로,
깔끔한 맛이 장점입니다.

포도씨유

노브스갈라 포도씨유.
이태리의 오일 명가에서
지중해 연안의 엄선한 포도 씨를
압착하여 만듭니다.

된장

정기품 우렁 된장.
국산 콩으로 메주를 직접 띄워 만든
전통 된장에 우렁 추출액을 더해
더욱 깊고 구수한 맛을 선사합니다.

올리고당

백설 올리고당.
설탕 대신 사용하는 올리고당은
설탕 칼로리의 ¼인
조미료이면서 장에 좋은
비피더스균을 증식시킵니다.

양조간장

정기품 양조간장.
가쓰오부시 추출액으로 맛을 낸
양조간장으로 조림, 볶음, 구이,
무침 등 각종 요리에 다양하게
사용이 가능합니다.

멸치액젓

유포 멸치액젓.
강동의 특산물인 멸치액젓으로,
맑은 젓국에 비리지 않은 맛이
특징입니다. 김치에 주로 사용
되지만 국 등에 간을 할 때도
감칠맛을 더해줍니다.

기본 계량 이야기

요리의 기본이 되는—

가족의 입맛에 딱 맞는 손맛을 낼 수 있게 될 때까지는
수많은 실험과 노력이 필요합니다.
그 과정 중에는 정확한 계량도 꼭 필요하지요.
기본 계량법을 소개합니다.

계량스푼과 숟가락 비교

| 장류 | 가루류 | 액체류 |

1큰술은 15cc, 1작은술은 5cc입니다.

계량컵과 종이컵 비교

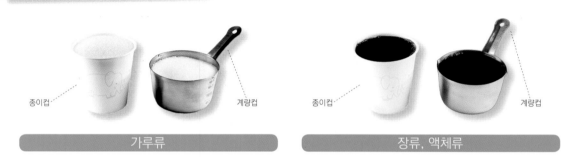

| 가루류 | 장류, 액체류 |

1컵은 200ml입니다.

약간, 조금, 적당량 — 재료의 분량이 정확히 표시되지 않은 경우 자신의 입맛에 맞게 넣으시면 됩니다.

{ 인덕션 이야기 }

인덕션의 원리

코일에 의한 발열로 가열되는 인덕션레인지는
전기가 있는 곳 어디에서든 쉽고 빠르게 조리할 수 있도록 도와줍니다.
고주파 자기장을 통해 가열되므로 자성이 있는 조리 도구는 무엇이든 사용할 수 있습니다.

가스의 유해성

집에서 주로 사용하는 가스레인지는 가스를 태울 때 일산화탄소가 발생합니다.
일산화탄소에 노출되는 것은 마치 담배 연기나 자동차 매연에 노출되는 것과 같답니다.
폐암과 아토피, 시력감퇴와 백내장, 비염 등을 유발하는 일산화탄소.
가스 사용시간을 줄이거나 조리 기구를 교체하는 것을 권장합니다.

인덕션 사용법

암웨이 퀸은 열전도가 높아서 특별히 센 불은 사용하지 않아도 됩니다.
8~10단의 불은 예열하거나 끓이는 요리에 사용합니다.
4~7단은 가열하는 요리에 사용합니다.
1~3단은 뜸을 들이거나 은근하게 익히는 요리에 사용합니다.

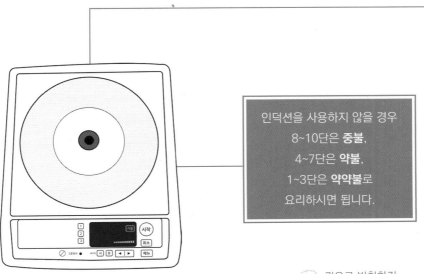

인덕션을 사용하지 않을 경우
8~10단은 **중불**,
4~7단은 **약불**,
1~3단은 **약약불**로
요리하시면 됩니다.

0-1 흰 밥하기

한식의 기본이 되는 흰 밥. 퀸으로 만들면 더 맛있답니다.
쌀과 물은 동량으로 준비하고 30분 불려 밥을 짓습니다.

불린 쌀과 동량의 물을 팬에 넣고, 인덕션 8단에서 수봉현상이 일어나면,
한 번 저어준 다음 인덕션 5단으로 낮춰줍니다.
맛있는 흰 쌀밥을 만들려면 12~15분,
고소한 누룽지까지 즐기고 싶다면 30분간 뜸을 들이세요.

재료
쌀 3컵, 물 3컵 (대형 프라이팬 기준)

0-2
해물 육수

구수한 맛과 향의 해물 육수.
시원한 국물맛의 비결인 황태, 다시마,
보리새우 등을 넣고 푹 끓여줍니다.
분량의 모든 재료를 넣고 인덕션 10단에서
끓기 시작하면 인덕션 5단으로 줄여서
1시간 끓여주세요.
뚜껑을 열고 끓여야
혹시 모를 비린내가 날아가서
더욱 맛있는 육수가 됩니다.

재료
황태 1마리, 보리새우 20g, 다시마 20g,
건 표고 3개, 양파 1개, 대파 1대,
건 고추 3개, 생강 2알, 마늘 5개, 물 20컵

콩으로 반찬하기 ················· 19

0-3 고추장 소스

매콤달콤한 고추장 소스. 미리 준비해 두면 다양하게 사용할 수 있답니다.
모든 재료를 넣고 인덕션 7단에서 저어가며 끓이다가
테두리에 보글보글 기포가 생기면 3분 정도 더 끓여주세요.

재료
고추장 500g, 올리고당 1컵, 물 3큰술,
조림 간장 2큰술, 식용유 3큰술, 고춧가루 2큰술,
다진 마늘 1½큰술, 다진 생강 1작은술

0-4
조림 간장

다양한 요리에 사용할 수 있는
조림 간장입니다.
모든 재료를 다 넣고
인덕션 10단으로 가열해서,
끓어오르면 6단으로 줄이고
40분간 끓여주세요.

재료
간장 5컵, 물 5컵, 물엿 700g,
양파 ½개, 사과 ½개, 파 40g,
마늘 50g, 생강 30g,
건 고추 10g, 표고버섯 30g,
통 후추 1작은술

0-5
장아찌 간장

새콤달콤한 장아찌 간장은
미리 준비해 두면
다양한 재료의 장아찌를
쉽게 만들 수 있어요.
모든 재료를 잘 섞어주세요.
끓일 필요 없답니다.

재료
간장 1컵, 식초 1컵, 설탕 ¼컵,
매실청 ¼컵, 청주 ¾컵,
소금 1작은술

Part. 1

밑 반 찬

늘 집에 준비해 두는

밑반찬은

건강을 생각하는

퀸의 기본입니다.

전복장	매운 고추 조림
뱅어포 구이	건 가지 강정
고운 오징어채 볶음	건 호박 강정
메추리알 오징어조림	된장 볶음
녹차 쌈장 꽈리고추 무침	고추장 볶음
깻잎조림	코다리 조림
마른 새우볶음	무청 우거지 볶음
황태채 무침	단호박 샐러드
고추장 멸치볶음	소고기 넣은 도라지 볶음
꽈리고추찜	애호박 볶음
땅콩·호두 장과	톳 두부 무침
장똑똑이	새송이 오이 볶음
녹차 쌈장 마늘 볶음	두부조림
진미채 무침	건 표고 들깨 조림
무청 시래기 된장 지짐	더덕 장아찌
견과류 듬뿍 멸치볶음	황태채 장아찌
건 파래 무침	

전복장

001

간장게장은 많이들 드시죠?
더 쫄깃하고 맛있는 고급 반찬, 전복장입니다.
구매하는 건 비싸기만 하고, 전복 몇 마리 들어있지도 않아서 늘 아쉽지요.
신선한 전복으로 간단하게 만들 수 있는 보양식입니다.

재료
활전복 8마리

양념
조림 간장 1컵, 진간장 1컵, 해물 육수 5컵,
미림 ¾컵, 올리고당 ⅓컵, 마른 고추 3개,
마늘 3개, 생강 1개, 통후추 1큰술

만들기

0. 재료 준비하기 :: 전복은 솔로 깨끗이 닦고, 마늘은 편 썰어
준비합니다.

1. 전복 준비하기 :: 전복은 끓는 물에 껍질째 2분간 데쳐 낸 다
음, 칼집을 냅니다.

2. 양념장 끓이기 :: 중형 소스팬에 분량의 간장과 해물 육수,
미림을 붓고 마른 고추와 마늘, 생강을 넣고 인덕션 10단에서
끓여줍니다.

3. 양념장 완성하기 :: 양념장이 끓기 시작하면 불을 줄여 인덕
션 6단에서 5분 더 끓여 준 다음, 재료들을 건져내세요.

4. 전복 넣기 :: 전복에 뜨거운 양념장을 넣고 인덕션 8단에서
10분간 끓여줍니다.

5. 마무리하기 :: 완성된 전복장은 완전히 식힌 후 보관 용기에
담아 냉장 보관합니다.

뱅어포 구이

002

뱅어는 잔 멸치나 새우보다도 칼슘 함량이 더 많아요.
그래서 칼슘이 부족한 임산부나 다이어트 중인 분들에게
특히 좋은 반찬이랍니다.
고추장 소스만 미리 만들어 두면
칼슘 보충을 위한 뱅어포 구이를 쉽게 만들 수 있어요.

밑
반
찬

재료
뱅어포 8장, 포도씨유 ½컵, 통깨 1큰술

양념
고추장 소스 1컵 (p20 참조)

Tip. 뱅어는 약간 쓴맛을 가지고 있어요. 소스가 더 달았으면 한다면 올리고당을 조금 더 넣어주세요.

만들기

0. 재료 준비하기 :: 뱅어포의 잡티를 제거하여 깨끗하게 준비하세요.

1. 예열하기 :: 대형 프라이팬에 포도씨유를 넣고 인덕션 5단에 3분 예열합니다.

2. 뱅어포 굽기 :: 뱅어포를 석 장씩 예열 된 팬에 넣어 앞 뒤로 튀기듯이 구워줍니다. 뱅어포 사이로 작은 거품이 보글보글 올라올 때까지 구워주세요.

3. 기름 빼기 :: 웍 뚜껑에 뱅어포를 얹어 기름을 빼주세요.

4. 양념 바르기 :: 기름 빠진 뱅어포에 양념을 발라줍니다.

5. 자르기 :: 양념 된 뱅어포를 먹기 좋은 크기로 자르고, 통깨를 뿌려 완성하세요.

고운
오징어채볶음

003

다양하게 먹는 오징어 중 가는 실처럼 만들었다고
'실채'라고도 부르는 고운 오징어채에요.
고추기름으로 코팅하여 매콤하게 입맛을 살려주는 고운 오징어채 볶음입니다.

재료
고운 오징어채 100g, 고추기름 3큰술

양념장
조림 간장 3큰술, 올리고당 1큰술

섞음 양념
통깨 1큰술, 설탕 1큰술

Tip. 어린 아이들이 먹는 반찬인 경우, 고추기름 대신 포도씨유를 사용하세요.

Tip. 단맛을 줄이고 싶다면 마무리에 넣는 설탕을 빼도 됩니다.

만들기

0. 재료 준비하기 :: 고운 오징어채는 뭉쳐 있는 경우가 있으니 잘 펼쳐두세요.

1. 오징어채 코팅하기 :: 웍에 오징어채를 펼쳐주고, 고추기름을 넣어서 버무려줍니다.

2. 오징어채 볶기 :: 인덕션 7단에서 오징어채가 꼬불꼬불해지기 시작할 때까지 잘 볶아주세요.

3. 양념장 끓이기 :: 볶아진 오징어채는 웍 뚜껑에 덜어두고, 인덕션 7단에서 양념장 재료를 끓여줍니다.

4. 함께 볶기 :: 양념장이 끓으면 불을 끄고, 덜어 두었던 오징어채를 넣어 잘 섞어준 다음, 설탕과 통깨를 넣어 버무리듯 볶아서 마무리하세요.

메추리알
오징어
조림

004

뽀얀 메추리알과 예쁜 무늬를 낸 오징어를 한 번에 맛볼 수 있는
메추리알 오징어조림입니다.
메추리알과 오징어, 꽈리고추까지. 골라 먹는 재미까지 더해보세요.

재료
메추리알 300g, 오징어 몸통 ½마리,
꽈리고추 30g

양념
물 3컵, 간장 ½컵, 올리고당 2큰술,
마늘즙 1큰술, 설탕 1½큰술

만들기

0. 재료 준비하기 :: 메추리알은 삶아서 껍질을 까두세요. 껍질
깐 것으로 구매해도 됩니다. 찬물에 헹궈 체에 밭쳐 물기를 빼
세요.

1. 오징어 손질하기 :: 오징어는 몸통만 준비해서 배 안쪽으로
칼집을 넣고 1cm 폭으로 썰어주세요.

2. 오징어 익히기 :: 중형 프라이팬에 물 1큰술 넣고 인덕션 8
단에서 수봉현상이 일어날 때까지 익혀주세요.

3. 메추리알 조리기 :: 중형 프라이팬에 메추리알을 넣고, 물,
간장, 마늘즙, 설탕을 넣고, 인덕션 10단에서 8분간 조려줍니
다.

4. 오징어 조리기 :: 메추리알이 갈색이 돌면 올리고당을 넣고,
오징어와 꽈리고추를 넣은 후 1분간 더 조려준 뒤 담아내세
요.

녹차 쌈장
꽈리고추 무침

005

녹차로 건강까지 더한 녹차 쌈장으로 꽈리고추 무침을 만들었어요.
고추는 혈압을 낮추고 모세혈관을 강화하며,
비타민도 풍부해서 자주 드시면 좋아요.
꽈리고추 무침으로 입맛과 건강 두 마리 토끼를 잡으세요.

재료
꽈리고추 100g

양념
녹차 쌈장 4큰술, 올리고당 1큰술,
참기름 ½큰술, 통깨 1작은술

만들기

0. 재료 준비하기 :: 꽈리고추는 꼭지를 떼고 깨끗하게 준비해
주세요.

1. 양념 준비하기 :: 돔형 뚜껑에 통깨를 제외한 양념 재료들을
섞어줍니다.

2. 버무리기 :: 준비해 둔 꽈리고추를 양념에 넣고 버무리세요.

3. 마무리 :: 통깨를 뿌려 마무리합니다.

깻잎조림

006

깻잎은 철분, 칼슘 등 무기질이 풍부하고,
비타민도 풍부하여 영양가가 높답니다.
향이 좋은 깻잎을 찌듯이 조려 부드럽게 만드는 깻잎 조림입니다.
아이들도 어른들도 좋아하는 깻잎 조림. 밥도둑이 따로 없어요.

재료
깻잎 400g, 밤 3알, 청·홍 고추 1개씩,
물 1큰술

양념
조림 간장 ½컵, 다진 마늘 1큰술,
통깨 1큰술, 들기름 2큰술

만들기

0. 재료 준비하기 :: 깻잎은 깨끗하게 씻어 물기를 제거하세요.

1. 채썰기 :: 밤과 고추를 손질하여 비슷한 크기로 곱게 채를 썹니다.

2. 양념장 만들기 :: 준비된 밤과 고추를 양념 재료와 섞어 양념장을 만드세요.

3. 깻잎 담기 :: 중형 프라이팬에 깻잎을 석 장씩, 그 위에 양념장을 켜켜이 얹어주세요.

4. 조려내기 :: 물 1큰술을 빈 양념장 그릇에 담아 남아있는 양념들을 마저 프라이팬에 부어준 다음, 인덕션 8단에서 수봉현상이 일어나면 5단으로 낮춰 10분간 찌듯이 조려줍니다.

마른
새우볶음

007

삶아서 건조하여 고소한 맛이 일품인 마른 새우는
단백질이나 다른 영양 성분도 많지만,
특히 칼슘 함량이 높아 성장기 어린이나 중년 여성에게 좋답니다.
고소하게 볶아서 즐겨보세요.

재료
마른 새우 100g, 고추기름 3큰술

양념
조림 간장 4큰술, 올리고당 2큰술,
마늘즙 2작은술, 생강즙 1작은술,
통깨 2작은술

만들기

0. 재료 준비하기 :: 마른 새우는 다리를 떼고 깨끗하게 손질합니다.

1. 새우 코팅하기 :: 인덕션 8단에서 웍에 고추기름을 넣고, 새우를 넣어 1분 30초 정도 코팅하듯 볶아줍니다.

2. 양념 끓이기 :: 웍 뚜껑에 볶은 새우를 덜어두고, 그 팬에 양념 재료를 넣어 바글바글 끓이세요.

3. 새우 볶기 :: 양념이 끓으면 덜어 둔 새우를 넣고 다시 볶아줍니다.

4. 완성하기 :: 양념이 다 졸아들 때까지 볶아준 후, 불을 끄고 통깨를 뿌려 섞어 마무리합니다.

황태채 무침

008

찬바람에 말리며 얼고 녹기를 스무 번 이상 반복하는 황태.
풍부한 영양 성분과, 연하고 부드러우면서도 쫄깃함이 특징인데요.
간이 잘 배도록 부드럽게 무쳐서 즐겨보세요.

재료
황태채 100g, 청고추 1개, 홍고추 1개

양념
간장 ½컵, 고추기름 3큰술, 참기름 3큰술,
다진 마늘 1큰술, 다진 생강 1작은술,
올리고당 2큰술, 설탕 1큰술, 통깨 1큰술,
잣가루 1큰술

만들기

0. 재료 준비하기 :: 황태채는 가늘게 찢어 준비합니다.

1. 잣가루 준비하기 :: 도마에 키친타월을 한 장 깔고, 잣을 올린 다음 칼날로 잣을 잘게 다져 잣가루를 만들어두세요.

2. 고추 손질하기 :: 청고추와 홍고추는 반으로 갈라 채를 썰어 둡니다.

3. 양념 만들기 :: 돔형 뚜껑에 간장, 고추기름, 참기름, 마늘, 생강, 올리고당, 설탕을 모두 넣고 섞어 양념을 만들어주세요.

4. 황태채 무치기 :: 준비된 양념에 황태채를 넣고, 간이 잘 배이게 주물러 무쳐줍니다.

5. 완성하기 :: 황태채를 잘 무친 후, 채 썰어둔 청·홍 고추채와 통깨를 넣어 섞고, 잣가루를 넣어 마무리합니다.

고추장
멸치볶음

009

칼슘 풍부 멸치와 고소한 땅콩의 만남. 고추장 멸치볶음입니다.
고추장 소스로 촉촉하게 맛을 내고 볶은 땅콩으로 고소함을 더해서
언제나 사랑받는 기본 밑반찬을 만들어 봐요.

재료
멸치 100g, 볶은 땅콩 ½컵

양념
고추기름 3큰술, 고추장 소스 ⅔컵

Tip. 멸치를 대량으로 손질하고 한 번 구워낸 다음 냉동 보관하면 전처리 단계를 줄일 수 있어요.

만들기

0. 재료 준비하기 :: 멸치는 머리와 내장을 제거해 준비하세요.

1. 멸치 전처리하기 :: 마른 웍에 손질한 멸치를 넣고 인덕션 5단에서 7분간 구워 비린 맛을 날려줍니다.

2. 오일 코팅하기 :: 인덕션 8단으로 올리고, 고추기름을 넣어 멸치를 볶아줍니다.

3. 소스 넣기 :: 불을 끄고 고추장 소스를 넣어 볶아주세요.

4. 땅콩 넣기 :: 볶은 땅콩을 넣고 버무려 완성합니다.

꽈리고추찜

010

몸에 좋은 꽈리고추를 부드럽게 쪄서 만드는 반찬입니다.
자연스레 손이 가는 맛이면서, 어른들이 특히 좋아하신답니다.

재료
꽈리고추 150g

양념
밀가루 ½컵, 간장 ⅔컵, 다진 마늘 1큰술,
고춧가루 2큰술, 참기름 1큰술,
통깨 2작은술

만들기

0. 재료 준비하기 :: 꽈리고추는 꼭지를 제거하고 깨끗하게 준
비하세요.

1. 고추 찌기 :: 꽈리고추에 밀가루를 묻히고 스티머에 넣어 인
덕션 10단에서 3분간 찝니다.

2. 양념 만들기 :: 꽈리고추를 찌는 사이 분량의 재료들을 섞어
양념을 만들어주세요.

3. 버무리기 :: 꽈리고추가 쪄지면, 한 김 식힌 후 준비된 양념
에 버무립니다.

4. 마무리하기 :: 통깨를 뿌려 마무리합니다.

땅콩·호두 장과

011

고소하고 몸에 좋은 견과류를
달콤하고 짭짤한 반찬으로 만드는 땅콩·호두 장과입니다.
짜지 않게 만들어서 더욱 손이 가는 건강 반찬으로 만들어보세요.

재료
호두 150g, 생땅콩 150g

양념
간장 3큰술, 설탕 1½큰술, 물 1컵,
올리고당 1½큰술, 참기름 1큰술

만들기

0. 재료 준비하기 :: 호두와 생땅콩은 깨끗하고 모양이 예쁜 것
으로 준비합니다.

1. 재료 삶기 :: 중형 프라이팬에 찬물을 붓고, 호두와 생땅콩
을 넣어 인덕션 10단에서 10분 끓여주세요.

2. 재료 헹구기 :: 끓여 낸 물에 불순물들이 많으니 잘 헹궈 물
기를 빼둡니다.

3. 양념에 끓이기 :: 중형 프라이팬에 간장과 설탕, 물을 넣고
끓으면, 준비된 호두와 땅콩을 넣고 인덕션 7단에서 10분 끓
여주세요.

4. 맛 더하기 :: 올리고당과 참기름을 넣어 인덕션 10단에서 2
분 더 조려줍니다.

장똑똑이

012

매콤하고 짭조름한 장똑똑이.
간단한 영양 반찬으로 쉽게 먹을 수 있고,
짭짤하여 오래 보관할 수도 있는 착한 반찬이에요.
밥에 그냥 곁들여 먹는 것뿐 아니라,
볶음밥, 비빔밥, 쌈밥 등 활용도도 다양하답니다.

밑
반
찬

재료
소고기 우둔살 300g, 간장 1큰술,
참기름 ½큰술, 후춧가루 조금,
마늘 3개, 청양고추 2개

양념
간장 2큰술, 조림 간장 1큰술,
설탕 1큰술, 올리고당 1큰술, 물 ⅓컵

만들기

0. 재료 준비하기 :: 소고기는 우둔살로 준비하여 채를 썰어 핏물을 빼둡니다.

1. 고기 밑간하기 :: 채를 썰어둔 소고기에 간장, 후추, 참기름으로 밑간을 해주세요.

2. 채소 썰기 :: 청양고추는 동글게 썰고, 마늘은 채를 썰어둡니다.

3. 양념 끓이기 :: 중형 프라이팬에 양념 재료를 모두 넣고 끓여주세요.

4. 고기 익히기 :: 밑간해 둔 소고기를 끓고 있는 양념에 넣어 인덕션 8단에서 뚜껑 덮고 3분 익힌 다음 뚜껑을 열고 볶으며 간이 배도록 해주세요.

4. 완성하기 :: 인덕션 10단으로 불을 올려 마늘과 청양고추를 넣고 국물이 졸아들 때까지 볶아줍니다.

녹차 쌈장
마늘 볶음

013

마늘은 몸에 좋으면서도 열에 의해 좋은 성분이 변하지 않는
참 성격 좋은 먹거리에요.
익혀서 매운맛을 뺀 마늘 볶음.
녹차 쌈장으로 맛을 더해 마늘만 쏙쏙 골라 건강 반찬으로,
고기 먹을 때 쌈장으로도 적당하답니다.

재료
마늘 300g, 소고기 다짐육 100g, 깻잎 3장

양념
녹차 쌈장 300g, 올리고당 1큰술,
조림 간장 1큰술, 다진 마늘 1큰술,
고운 고춧가루 1큰술, 황태 육수 1큰술

만들기

0. 재료 준비하기 :: 마늘은 껍질을 깨끗하게 벗겨 준비합니다.

1. 마늘 삶기 :: 마늘을 중형 프라이팬에 인덕션 10단에서 7분 삶아 찬물에 헹구어 두세요. 마늘을 삶는 동안 깻잎을 채를 썰어두세요.

2. 고기 볶기 :: 다진 소고기는 후춧가루를 넣고 인덕션 5단에서 3분 볶아줍니다.

3. 양념 끓이기 :: 고기를 볶아 낸 팬에 양념 재료를 모두 넣고 인덕션 7단에서 끓여주세요.

4. 재료 넣기 :: 양념이 끓으면 준비해 둔 마늘과 소고기를 넣고 인덕션 5단에서 한 번 더 끓여줍니다.

5. 완성하기 :: 채를 썰어둔 깻잎을 넣고 골고루 섞어주세요.

진미채 무침

014

진미채라고 불리는 오징어포.
마른오징어를 얇게 편 진미채는 아무런 요리를 하지 않아도
저절로 손이 가는 맛있는 음식 재료에요.
쫄깃한 질감에 부드럽고 매콤한 맛을 더한 진미채 무침입니다.

재료
진미채 200g, 청양고추 1개

양념
마요네즈 1큰술, 고추기름 2큰술,
참기름 2작은술, 통깨 ½큰술,
고추장 소스 ¾컵

Tip. 아이들이 먹을 경우에는 청양고추 대신
풋고추를 사용하세요. 송송 썬 실파를 사용해
도 좋지만 밑반찬으로 오래 두고 먹기에는 고
추가 더 좋아요.

만들기

0. 재료 준비하기 :: 진미채를 먹기 좋은 크기로 자릅니다.

1. 진미채 찌기 :: 대형 프라이팬에 물을 0.5cm 높이로 넣고
물이 끓으면 스티머에 손질한 진미채를 넣어 2분간 찝니다.

2. 진미채 밑 양념하기 :: 쪄낸 진미채에 마요네즈와 고추기름
을 넣어 버무리세요.

3. 양념하기 :: 밑 양념 된 진미채에 고추장 소스를 넣어 버무
립니다.

4. 고추 썰기 :: 청양고추를 송송 썰어주세요.

5. 마무리하기 :: 양념 된 진미채에 참기름, 청양고추를 넣어
살살 버무린 후 통깨를 넣어 마무리하세요.

무청 시래기
된장 지짐

015

말린 무청은 섬유질도 풍부할 뿐 아니라 비타민과 미네랄도 풍부합니다.
조상님들이 즐겨 드셨던 겨울철 비타민 보충제랍니다.
하지만 거친 질감으로 꺼리는 분들도 많은데,
껍질을 벗긴 무청 시래기를 권해드려요.

재료
무청 시래기(손질한 것) 300g,
황태 육수 3컵, 청양고추 2개, 대파 ½대

양념
우렁된장 4큰술, 포도씨유 1큰술,
밀가루 1큰술, 고춧가루 2큰술,
다진 마늘 1큰술

Tip. 무청은 껍질을 벗겨야 부드럽게 먹을 수
있답니다. 쫄깃한 질감을 좋아하신다면 굳이
껍질을 벗기지 않아도 됩니다.

만들기

0. 재료 준비하기 :: 삶은 무청 시래기는 껍질을 벗겨 7cm 길이로 잘라 준비합니다.

1. 양념하기 :: 중형 소스팬에 무청 시래기와 양념 재료를 넣고, 잘 무친 다음, 간이 배도록 10분간 놓아두세요.

2. 끓이기 :: 양념을 해서 재워둔 무청 시래기에 분량의 황태 육수를 부어 인덕션 7단에서 약 15분 정도 끓여줍니다.

3. 완성하기 :: 청양고추와 대파를 어슷하게 썰어, 끓고 있는 무청 시래기에 넣고 10분간 더 끓여주세요.

견과류 듬뿍
멸치볶음

016

멸치볶음!
건강에 참 좋은데 아이들이 잘 먹지 않는 경우도 있지요.
이럴 때는 몸에 좋은 견과류를 듬뿍 넣어 고소한 맛을 더해주세요.

재료
지리멸 150g, 피칸 50g,
아몬드 슬라이스 50g, 해바라기 씨 50g,
잣 50g, 생강즙 2작은술, 참기름 2작은술

양념
포도씨유 3큰술, 조림 간장 3큰술,
설탕 1큰술, 올리고당 2큰술

만들기

0. 재료 준비하기 :: 멸치는 깨끗하게 준비하고, 피칸은 잣 정도의 크기로 먹기 좋게 잘라 준비합니다.

1. 견과류 볶기 :: 마른 웍에 견과류를 넣고 인덕션 5단에서 3분 볶은 다음 덜어내세요.

2. 멸치 볶기 :: 웍에 지리멸을 넣고, 인덕션 5단에서 5분 볶으면서 비린내를 날리고, 생강즙을 넣어 섞어준 후 꺼내둡니다.

3. 끓이기 :: 웍에 양념장을 넣고 인덕션 7단에서 끓이다가, 양념장이 끓으면 멸치와 견과류를 넣어 2분 정도 골고루 섞으면서 볶아주세요.

4. 완성하기 :: 불을 끄고 참기름을 넣어 버무려줍니다.

건 파래 무침

017

건 파래는 건조하고 부피가 커서 큰 맘 먹고 만져야 하는 재료에요.
손질하다 보면 부스러기들이 너무 많이 나오거든요.
하지만 막상 만든 건파래 무침이 맛있어서 또 만들게 되는 반찬입니다.

재료
건 파래 150g, 보리새우 20g,
홍고추 ½개, 청고추 ½개, 통깨 1큰술

양념
조림 간장 1컵, 고추기름 ½컵,
참기름 ⅓컵, 올리고당 ⅔컵, 생강즙 1큰술

만들기

0. 재료 준비하기 :: 건 파래는 잡티를 제거하고 손으로 부숴주세요.

1. 양념하기 :: 건 파래에 조림 간장, 고추기름, 참기름을 나눠 넣으면서 부피를 줄여주세요.

2. 맛 더하기 :: 건 파래에 양념이 배서 부피가 줄어들면 생강즙과 올리고당을 넣고 버무려 맛을 더해줍니다.

3. 고추 넣기 :: 청고추와 홍고추는 씨를 제거하고 채 썰어 넣어 다시 한 번 버무리세요.

4. 새우 볶기 :: 중형 프라이팬에 보리새우를 넣고 인덕션 5단에서 고소하게 볶아냅니다.

5. 완성하기 :: 버무려 둔 파래에 볶아낸 보리새우와 통깨를 넣고 버무려 마무리하세요.

매운 고추
조림

018

매콤하고 자꾸만 손이 가는 매운 고추 조림.
푹 조려 어우러진 매콤함과 짭짤함이 매력적이랍니다.
멸치를 미리 손질해서 냉동 보관해 두면 더 손쉽게 만들 수 있는 반찬이에요.

재료
멸치 100g, 청양고추 100g,
꽈리고추 300g

양념
미림 ⅔컵, 양조간장 3큰술,
멸치액젓 3큰술, 올리고당 2큰술,
다진 마늘 1큰술, 다진 생강 1작은술,
황태 육수 3컵, 포도씨유 3큰술

만들기

0. 재료 준비하기 :: 멸치는 머리와 내장을 제거하고, 꽈리고추와 청양고추는 꼭지를 떼어 둡니다.

1. 멸치 전처리하기 :: 손질된 멸치는 마른 대형 소스팬에 넣어 인덕션 5단에서 구수한 냄새가 날 때까지 약 7분 정도 볶아 따로 덜어두세요.

2. 고추 손질하기 :: 청양고추와 꽈리고추는 1cm 두께로 어슷 썰기 합니다.

3. 재료 볶기 :: 대형 소스팬에 인덕션 5단에서 포도씨유를 두르고, 청양고추와 꽈리고추를 넣어 인덕션 7단에서 1분 30초 정도 볶아준 다음, 전처리해 둔 멸치를 넣어 볶아주세요.

4. 졸이기 :: (3)의 볶은 재료에 나머지 양념과 황태 육수를 넣고, 끓어오르면 뚜껑을 덮고 인덕션 6단에서 1시간 정도 푹 졸여줍니다.

건 가지 강정

019

항산화 효과가 뛰어나고, 시력 보호에도 좋다는 안토시아닌.
안토시아닌이 풍부한 가지는 말리면 더 좋다지만
어떻게 먹어야 할까 항상 궁금했어요.
맛있는 강정으로 만들어보세요. 독특한 질감과 매콤달콤한 맛으로
아이부터 어른까지 모두 좋아한답니다.

재료
말린 가지 100g, 감자 전분 ⅓컵,
밀가루 ⅓컵, 포도씨유 2컵, 통깨 1큰술

양념
조림 간장 ⅔컵, 올리고당 ⅓컵,
마늘즙 2큰술, 생강즙 1큰술,
고운 고춧가루 2큰술, 설탕 1큰술

만들기

0. 재료 준비하기 :: 건 가지는 미지근한 물에 10분 정도 불려,
부드러워질 때까지 서너 번 찬물에 헹구어 물기를 꼭 짜두세
요.

1. 튀김옷 입히기 :: 준비해 둔 가지에 전분과 밀가루를 넣고
주물러서 골고루 튀김옷을 입혀줍니다.

2. 가지 튀기기 :: 웍에 포도씨유를 넣고, 튀김기능 180℃의 온
도에서 바삭하고 노릇하게 튀겨줍니다. 이때 튀김옷이 벗겨질
수 있으니 살살 저으며 튀겨주세요.

3. 양념 만들기 :: 웍을 비워 양념을 모두 넣고, 인덕션 10단에
서 끓여주세요. 끓기 시작하면 3분간 더 저으면서 끓여 농도
를 내줍니다.

4. 양념 입히기 :: 양념이 완성되면 불을 끄고, 튀겨 둔 말린 가
지를 버무리세요. 통깨를 뿌려 마무리합니다.

건 호박 강정

020

꼬들꼬들한 질감이 매력적인 건 호박.
몸에 좋은 단맛을 가진 건 호박은 주로 나물을 만들어 먹지만,
아이들은 즐겨 먹지 않죠.
건 호박을 이용해 견과류와 함께 강정을 만들어 보세요.
고소하고 달콤한 맛에 어른 뿐 아니라 아이들이 특히 좋아한답니다.

재료
건 호박 100g, 호박씨 30g,
아몬드 슬라이스 30g, 감자 전분 ¼컵,
밀가루 ¼컵, 포도씨유 1컵

양념
조림 간장 ½컵, 올리고당 3큰술,
설탕 1큰술, 통깨 1큰술, 들기름 2큰술

만들기

0. 재료 준비하기 :: 건 호박은 미지근한 물에 10분 정도 불려, 부드러워질 때까지 서너 번 정도 찬물에 헹구어 물기를 꼭 짜 둡니다.

1. 튀김옷 입히기 :: 불린 건 호박에 전분과 밀가루를 넣고 주물러서 골고루 튀김옷을 입혀주세요.

2. 호박 튀기기 :: 웍에 포도씨유를 넣고, 튀김기능 170℃의 온도에서, 바삭하고 노릇하게 튀겨 기름을 빼줍니다.

3. 견과류 볶기 :: 깨끗한 웍에 아무것도 두르지 않고, 견과류를 넣어 인덕션 5단에서 볶은 후 덜어두세요.

4. 양념 만들기 :: 웍에 양념을 모두 넣고, 인덕션 10단에서 끓이다, 끓기 시작하면 2분간 바글바글 끓이고 불을 꺼주세요.

5. 양념 입히기 :: 준비된 양념에 튀겨 둔 건 호박과 견과류를 넣고 버무려 담아냅니다.

된장 볶음

021

쌈장으로도 좋고,
된장과 1:1로 넣어 된장찌개를 끓여도 맛있는 된장 볶음입니다.
맛있고 만들기 쉬워서 선물로도 좋을 것 같고,
요즘 유행하는 캠핑장에서도
이것만 있으면 두루두루 편하게 사용할 것 같네요.

재료
소고기 다짐육 100g, 후추 조금,
된장 500g, 고추장 100g, 황태 육수 ½컵,
올리고당 ⅓컵, 불린 건 표고 100g,
황태 가루 ⅓컵

양념
양파 100g, 청양고추 2개,
다진 마늘 2큰술

만들기

0. 재료 준비하기 :: 소고기 다짐육은 핏물을 제거해 두고, 황태포를 믹서기에 갈아서 황태 가루를 만들어두세요.

1. 고기 볶기 :: 대형 소스팬에 소고기와 후춧가루를 약간 넣고 인덕션 5단에서 익히다 수봉현상이 일어나면 7단으로 올려 물기 없이 볶아 뚜껑에 덜어둡니다.

2. 된장 끓이기 :: 고기를 볶은 팬에 된장과 고추장, 황태 육수와 올리고당을 넣어 고루 섞으면서 인덕션 7단에서 끓이다 끓기 시작하면 5단으로 불을 줄여 2분간 끓여줍니다.

3. 채소 손질하기 :: 불린 건 표고와 양파는 사방 0.5cm 정도로 깍둑썰기하고, 청양고추는 얇게 썰어 준비합니다.

4. 맛 더하기 :: (2)의 된장에 볶아 놓은 소고기와 표고, 황태 가루를 넣고 섞어 인덕션 5단에서 3분 끓여주세요.

5. 완성하기 :: 양파와 청양고추, 다진 마늘을 넣고 맛이 어우러지도록 인덕션 4단에서 5분 정도 더 끓여줍니다.

고추장 볶음

022

두루두루 맛있는 고추장 볶음.
달아난 입맛을 찾아 주는 고추장 볶음은,
쓱쓱 밥을 비벼 먹기도 좋고, 쌈장처럼 먹기도,
예쁜 항아리에 담아 선물하기도 그만이죠.

재료
소고기 다짐육 100g, 후추 조금,
고추장 500g, 황태 육수 ⅔컵, 잣 2큰술

양념
고운 고춧가루 2큰술, 올리고당 4큰술,
참기름 2큰술

만들기

0. 재료 준비하기 :: 소고기 다짐육은 핏물을 제거해두세요.

1. 고기 볶기 :: 대형 소스팬에 소고기와 후춧가루를 약간 넣고 인덕션 5단에서 익히다 수봉현상 후 7단으로 올려 물기 없이 볶아 뚜껑에 덜어둡니다.

2. 고추장 끓이기 :: 고기를 볶은 팬에 고추장과 황태 육수, 고춧가루를 넣어 인덕션 7단에서 끓여주세요.

3. 고기 섞기 :: 끓기 시작하면 볶아 놓은 소고기와 올리고당을 넣어 인덕션 5단에서 5분간 끓여주세요.

4. 완성하기 :: 잣과 참기름을 넣고 5단에서 2분 더 끓여줍니다.

코다리 조림

023

살이 쫄깃한 명태 코다리.
특히 겨울 별미인 코다리를 이용한 다양한 요리법 중
가장 쉽게 만들 수 있는 조림을 만들어볼까요?

재료
코다리 3마리, 꽈리고추 30g, 마늘 50g,
홍고추 1개

양념
황태 육수 2컵, 양조간장 ½컵,
고춧가루 3큰술, 설탕 1큰술, 대파 ⅓대,
다진 마늘 1큰술, 생강즙 ½큰술,
올리고당 2큰술

만들기

0. 재료 준비하기 :: 코다리는 2~3등분으로 잘라 지느러미를
정리하고 물에 헹구어 주세요.

1. 채소 손질하기 :: 꽈리고추는 꼭지를 떼고, 마늘은 편 썰어
두세요. 홍고추는 어슷하게 썰어둡니다.

2. 양념 만들기 :: 대형 프라이팬에 물과 황태 육수와 간장, 고
춧가루와 설탕을 넣고 인덕션 10단에서 끓여주세요.

3. 코다리 조리기 :: 양념이 끓어오르면 코다리를 넣고, 그대로
뚜껑을 닫은 채로 인덕션 8단에서 10분간 조려줍니다.

4. 채소 추가하기 :: 시간이 다 되면 다시 인덕션 6단으로 낮춰
10분을 맞추고, 다진 마늘과 생강즙, 올리고당을 넣고, 편 썬
마늘과 대파를 넣어 익혀주세요.

5. 완성하기 :: 국물이 자작해지면 꽈리고추와 홍고추를 넣고,
인덕션 8단에서 1분간 더 끓여주세요. 부족한 간은 소금으로
합니다.

무청 우거지 볶음

024

무청은 빈혈과 동맥경화 등에 탁월한 효과를 보이기 때문에
많이 드시면 좋아요.
일교차가 큰 지역에서 만드는 무청이 더 맛있답니다.
간단하게 볶아서 맛있게 드세요.

밑
반
찬

재료
무청 300g

양념
조림 간장 2큰술, 멸치액젓 1큰술,
다시마 육수 ½컵, 들기름 2큰술,
포도씨유 1큰술, 다진 마늘 1큰술,
다진 대파 1큰술, 소금 ½작은술,
통깨 1큰술

Tip. 무청은 실외에서 말리기 때문에 삶은 무
청에서 돌이 나오는 경우가 있어요. 요리 전
에 깨끗이 손질해주세요.

만들기

0. 재료 준비하기 :: 무청은 깨끗하게 씻고 껍질을 벗겨 7cm
정도 길이로 준비합니다.

1. 밑간하기 :: 손질한 무청에 조림 간장과 멸치액젓, 들기름을
넣고 조물조물 무쳐서 30분 이상 재워두세요.

2. 기름 데우기 :: 대형 프라이팬에 인덕션 7단에서 포도씨유
를 두르고, 다진 마늘과 대파를 넣어 향을 내줍니다.

3. 무청 익히기 :: (2)에 밑간해둔 무청을 넣어 볶아주고, 다시
마 육수를 부어 뚜껑 덮고 수봉현상까지 익혀주세요.

4. 완성하기 :: 부족한 간은 소금으로 맞추고, 인덕션 10단에
서 1분 정도 더 볶아준 후 통깨를 뿌려 냅니다.

단호박
샐러드

025

단호박. 이름부터 달달하죠?
풍부한 비타민과 무기질에 식이섬유도 풍부하여 여성들에게 특히 좋은 단호박.
깨끗하게 씻어 껍질까지 맛있게 먹는 간단한 단호박 샐러드.
맛있게 만들어 봐요.

재료
단호박 1개, 아몬드 슬라이스 50g,
호두 분태 50g, 크랜베리 50g

양념
마요네즈 50g, 연유 1큰술, 소금 ⅔작은술

만들기

0. 재료 준비하기 :: 단호박은 묵직한 것으로 골라 깨끗하게 닦은 다음 껍질째 4등분 해서 속을 긁어냅니다.

1. 호박 찌기 :: 대형 프라이팬에 키친타월을 깔고, 물을 넣은 후 손질한 단호박을 반씩 잘라 넣고, 인덕션 8단에서 수봉현상 후 10~15분, 호박 크기에 따라 쪄주세요.

2. 호박 으깨기 :: 쪄낸 단호박은 돔형 뚜껑에 덜어 굵게 으깨둡니다.

3. 견과 볶기 :: 중형 프라이팬에 아몬드 슬라이스, 호두 분태를 넣고, 인덕션 5단에서 살짝 볶아 식혀두세요.

4. 섞어주기 :: 준비해 둔 단호박에 연유, 마요네즈, 소금을 넣고, 크랜베리와 볶아 둔 견과를 섞어줍니다.

소고기 넣은
도라지 볶음

026

도라지는 기관지에 좋고, 혈당을 떨어뜨리는 사포닌이 많이 들어 있는,
한약재로도 쓰이는 먹거리에요.
소금에 주물러 쓴맛을 빼는 방법을 많이 쓰는데,
30초 정도 데쳐도 쓴맛이 빠진답니다.
소고기를 넣어 영양 풍부한 도라지 볶음을 만들어봐요.

재료
도라지 300g, 소고기 100g

양념
송화소금 1작은술, 다진 마늘 1작은술,
포도씨유 1큰술

소고기 밑간
조림 간장 1큰술, 다진 마늘 1작은술,
참기름 1작은술, 후추 조금

만들기

0. 재료 준비하기 :: 도라지는 먹기 좋은 크기로 준비하세요.

1. 쓴맛 빼기 :: 깨끗이 손질된 도라지를 끓는 물에 30초 정도
데쳐내 찬물에 헹궈줍니다.

2. 고기 밑간하기 :: 소고기는 밑간을 해둡니다.

3. 고기 볶기 :: 웍을 인덕션 8단에서 1분 예열한 후, 밑간 한
소고기를 넣어 뚜껑 덮고 인덕션 7단에서 1분 익힌 후 볶아주
세요.

4. 도라지 양념하기 :: 준비된 도라지를 소금과 다진 마늘, 포도
씨유로 양념합니다.

5. 도라지 볶기 :: 고기를 볶던 웍에 양념 된 도라지를 넣고 인
덕션 10단에서 2분간 볶아주세요.

애호박 볶음

027

엄마가 만들어 주시던 애호박 볶음은 늘 너무 무르게 익혀서,
먹기는 부드럽지만 담음새가 예쁘지는 않았어요.
한정식집에서 먹는 것 같은, 부드러우면서도 아삭하게 볶아내는,
그래서 맛뿐만 아니라 담음새까지 예쁜 애호박 볶음 만드는 법, 알려드릴게요.

재료
애호박 2개, 소금 1큰술

양념
포도씨유 3큰술, 다진 마늘 ½큰술,
다진 대파 1큰술, 홍고추 채 1큰술,
통깨 ½큰술

만들기

0. 재료 준비하기 :: 애호박은 반달 모양으로 썰어 소금 1큰술에 30분간 절여둡니다.

1. 물기 빼기 :: 절인 호박은 물에 헹구어 물기를 빼주세요.

2. 양념 익히기 :: 웍에 포도씨유를 두르고 인덕션 5단에서 다진 파와 다진 마늘을 넣어 볶아 향을 냅니다.

3. 호박 볶기 :: 물기를 빼 둔 호박을 넣고 인덕션 8단에서 뚜껑 덮고 2분, 뚜껑 열고 1분간 볶아줍니다.

4. 담아내기 :: 홍고추 채와 통깨를 뿌려서 섞고, 넓은 접시에 펴서 식혀두세요.

톳 두부 무침

028

바다의 해조류는 미역과 다시마, 김과 파래만 아는 분들도 많으시죠?
톳은 무기염류가 많은 건강 음식 재료에요.
갈색을 띠고 있는 톳은, 끓는 물에 살짝 데치면 예쁜 초록색으로 변한답니다.
단백질의 보고 두부와 무쳐서 건강 반찬을 만들어봐요.

재료
톳 200g, 두부 1모(약 300g)

양념
양조간장 1큰술, 참기름 1큰술,
통깨 1큰술, 소금 조금

만들기

0. 재료 준비하기 :: 톳은 흐르는 물에 깨끗이 주물러 씻어 두세요.

1. 톳 데치기 :: 톳은 끓는 물에 살짝 데쳐 찬물에 헹구고 물기를 빼둡니다.

2. 두부 으깨기 :: 두부는 칼등으로 곱게 으깬 후, 키친타월이나 면보에 싸서 물기를 제거하세요.

3. 양념하기 :: 돔형 뚜껑에 으깬 두부와 양념을 넣고 섞어주세요.

4. 톳 무치기 :: 양념한 두부에 데쳐놓은 톳을 넣어 버무립니다.

새송이 오이
볶음

029

살짝 절여 수분을 제거한 오이는 볶아 먹어도 아주 맛있답니다.
아삭아삭한 오이와 쫄깃한 새송이를 함께 볶는 새송이 오이 볶음.
소금으로 담백하게 볶아주세요.

재료
새송이버섯 250g (삶으면 200g 정도),
청오이 100g

양념
포도씨유 1큰술, 다진 마늘 ½큰술,
다진 대파 ½큰술, 홍고추 채 1큰술,
소금 1작은술, 통깨 ½큰술

만들기

0. 재료 준비하기 :: 새송이버섯은 5cm 길이, 1cm 폭으로 썰어 끓는 물에 소금을 조금 넣고 데쳐 찬물에 헹궈 물기를 빼두고, 홍고추는 채를 썰어 준비합니다.

1. 오이 절이기 :: 청오이는 0.3cm 두께로 둥글게 썰어 소금에 푹 절여 헹궈 물기를 짜두세요.

2. 오이 볶기 :: 웍에 포도씨유를 두르고 인덕션 7단에서 다진 마늘과 다진 파를 먼저 볶아 향을 내고, 꼭 짜둔 오이를 재빨리 볶아주세요.

3. 버섯 볶기 :: 준비해 둔 새송이버섯을 더해 한 번 더 볶아줍니다.

4. 완성하기 :: 소금으로 부족한 간을 맞추고, 홍고추 채와 통깨를 뿌려 완성합니다.

두부조림

030

집에서 간단히 만들어 먹는 두부조림.
맛있게 양념한 지리멸을 올려 마치 고급 요리처럼 만들었어요.
손님상에 내기에도 적당한 두부 조림입니다.

재료
두부 1모(소금 1작은술), 포도씨유 1큰술,
들기름 1큰술, 감자 전분 ⅓컵,
밀가루 ¼컵, 황태 육수 ¼컵

양념
지리멸 ⅔컵, 다진 마늘 1큰술,
다진 대파 1큰술, 양조간장 2큰술,
조림 간장 2큰술, 참기름 2큰술,
고춧가루 1큰술, 설탕 ½큰술,
홍고추 채 1큰술, 소금 1작은술,
통깨 ½큰술

만들기

0. 재료 준비하기 :: 부침용 단단한 두부를 두툼하게 6등분 해서, 소금을 뿌려 5분 정도 놓아둡니다.

1. 멸치 양념하기 :: 지리멸에 양념을 넣어 고루 섞어두세요.

2. 두부 탈수하기 :: 소금을 뿌려 수분을 제거한 두부는 키친타월에 눌러 물기를 빼고 감자 전분과 밀가루를 섞어 묻혀주세요.

3. 두부 굽기 :: 대형 프라이팬을 인덕션 10단에서 1분간 예열하고, 7단으로 낮춰 포도씨유와 들기름을 두르고 두부를 넣어 3분 굽고, 뒤집어서 2분 더 구워줍니다.

4. 조리기 :: 구운 두부 위에 양념해 둔 멸치를 얹고 황태 육수를 넣어 인덕션 7단에서 5분간 조려주세요.

건 표고
들깨
조림

031

비타민 D의 보고인 표고버섯은, 말릴 때 더 몸에 좋다는 건 다들 아시죠?
영양분도 농축되고, 더 깊은 맛과 향을 내게 됩니다.
구수한 들깨 향을 더해 조려주세요.

재료
불린 표고 250g, 포도씨유 3큰술

양념
조림 간장 4큰술, 설탕 ½큰술,
다진 마늘 ⅔큰술, 미림 2큰술,
황태 육수 ⅔컵, 들깻가루 ½컵,
다진 쪽파 1큰술

만들기

0. 재료 준비하기 :: 건 표고는 차가운 물에 담가 충분히 부드러워지도록 불린 후 물에 헹궈 물기를 짜서 버섯 기둥을 잘라 냅니다.

1. 버섯 손질하기 :: 불린 표고버섯은 4등분 하세요.

2. 버섯 볶기 :: 웍에 포도씨유를 두르고 인덕션 7단에서 버섯을 볶다가, 간장, 설탕, 다진 마늘, 미림을 넣어, 인덕션 8단에서 간이 배도록 뚜껑 덮고 3분간 익혀줍니다.

3. 조리기 :: 볶아진 버섯에 황태 육수를 부어 인덕션 8단에서 5분간 조려주세요.

4. 들깻가루 넣기 :: 들깻가루를 넣어 고루 섞은 다음, 1분 정도 후 불을 끕니다.

더덕 장아찌

032

향긋한 더덕을 더욱 맛있게 먹을 수 있는 더덕 장아찌입니다.
더덕을 절인 고추장 양념은 더덕 향이 배어 있어,
장아찌를 다 먹고 비빔밥 양념 등으로 활용하세요.

밑
반
찬

재료
더덕 200g, 송화소금(더덕 절임용) ⅔큰술

양념
고추장 1컵, 올리고당 ⅓컵, 청주 3큰술,
소금 ⅓큰술

Tip. 송화소금은 입자가 고와서 적은 양으로
도 충분합니다.

만들기

0. 재료 준비하기 :: 더덕은 껍질을 벗기고 소금을 뿌려 30분
정도 절여줍니다.

1. 양념 만들기 :: 소형 소스팬에 고추장과 올리고당, 청주를
넣어 끓이고, 소금으로 간 해서 차게 식혀두세요.

2. 더덕 손질하기 :: 절여 둔 더덕은 키친타월에 물기를 빼고,
보관 용기에 담아둡니다.

3. 양념 붓기 :: 식혀 둔 고추장 양념을 더덕이 잠기게 부어주
세요.

4. 숙성시키기 :: 일주일 정도 냉장고에서 숙성시킵니다.

황태채 장아찌

033

매콤해서 입맛을 사로잡는 황태채 장아찌는
입맛 없을 때 특히 좋은 건강 반찬이에요.
냉장 숙성하고, 먹을 때는 참기름과 통깨를 조금 곁들여보세요.

재료
황태채 200g

양념
고추장 400g, 올리고당 ½컵,
조림 간장 ⅓컵, 고운 고춧가루 ⅓컵,
다진 마늘 3큰술, 다진 생강 1큰술,
매실청 ½컵

만들기

0. 재료 준비하기 :: 황태채는 5cm 정도 길이로 잘라 준비합니다.

1. 양념 만들기 :: 웍에 분량의 양념을 한데 섞어서 양념을 만들어주세요.

2. 버무리기 :: 준비된 양념에 황태채를 넣고 주물러서 잘 버무린 후 보관 용기에 담아둡니다.

3. 숙성시키기 :: 하루 정도 냉장고에서 숙성시킵니다.

Part. 2

한 그릇 반찬

건강한 식탁에

힘을 주고 싶을 때,

퀸은 나의 가장 큰

조력자입니다.

연근 곤약조림

코다리 강정

매운 참치 볶음

요거트 드레싱의 자몽 샐러드

연근 초무침 샐러드

미역 오이 무침

돼지고기 두루치기

우엉 깨 소스 무침

달래 무침

새우 브로콜리 볶음

더덕 구이

도라지 무침

우엉 잡채

마늘종 삼겹살 말이

가지 전

애호박 새우전 카나페

소고기 전

깻잎 참치 전

애호박 간장구이

말린 묵 볶음

멸치 얹은 누룽지 카나페

취나물 들깨 볶음

바싹 불고기

쇼가야키

깐풍 닭 날개 구이

치킨 가라아게

커리 소스 꽃게 볶음

마요네즈 호두 새우

유린기

연근 곤약조림

034

연근은 칼륨이 풍부해 고혈압 예방에도 좋고, 비타민 C와 식이섬유가 풍부하며, 철분이 많아 코피가 자주 나는 아이에게도 좋답니다.
달콤 짭짤하게 조려서도 많이 먹지만,
부드럽고 쫄깃한 곤약을 더해서 독특한 맛의 조림을 만들어주세요.

재료
연근 80g, 곤약 50g, 불린 표고 2개,
꽈리고추 3개, 닭고기 50g,
베트남 고추 3개, 포도씨유 2~3큰술

양념
조림 간장 2큰술, 맛술 1큰술,
가츠오 육수 1컵, 녹말물 2작은술,
소금 1작은술, 후추 약간

만들기

0. 재료 준비하기 :: 연근은 굵은 것으로 골라 껍질을 벗겨 준비합니다.

1. 재료 썰기 :: 연근은 반으로 잘라 한입 크기로 썰고, 곤약과 닭고기도 비슷한 크기로 썰어둡니다. 표고는 저며 큼직하게 썰고, 꽈리고추는 꼭지를 떼고 3등분 하세요.

2. 연근 볶기 :: 대형 소스팬에 기름을 두르고, 베트남 고추를 부숴 넣고, 연근과 닭고기를 넣어 인덕션 7단에서 볶아주세요.

3. 곤약 볶기 :: (2)의 재료가 익으면 곤약과 표고를 넣어 한 번 더 볶아줍니다.

4. 양념 끓이기 :: (3)에 양념을 넣고 인덕션 8단에서 끓여 수봉현상까지 두세요.

5. 완성하기 :: 수봉현상이 일어나면 녹말물을 넣고, 인덕션 4단으로 줄인 뒤, 꽈리고추를 넣고 1분간 끓여 마무리합니다.

코다리 강정

035

코다리는 반건조 명태입니다.
살이 쫄깃하고 저지방 고단백 식품이라 좋아하는 분들이 많죠.
주로 조림을 많이 먹지만 달콤한 강정으로 한 번 만들어보세요.
젓가락이 바빠진답니다.

재료
코다리 2마리, 전분 1컵, 청고추 ½개,
홍고추 ½개, 통깨 1큰술

양념
진간장 ¼컵, 올리고당 ¼컵,
고춧가루 3큰술, 생강즙 1큰술,
청주 2큰술

밑간 양념
조림 간장 ¼컵, 참기름 2큰술,
다진 마늘즙 2큰술

만들기

0. 재료 준비하기 :: 코다리는 머리와 꼬리를 손질해서 한입 크기로 준비해 두고, 청·홍 고추는 채를 썰어둡니다.

1. 밑간하기 :: 준비된 코다리는 밑간 양념에 30분간 재워둡니다.

2. 양념 만들기 :: 웍에 분량의 양념 재료를 모두 넣고 인덕션 10단에서 끓여주세요. 양념이 끓어오르면 1분간 더 끓인 다음 불을 끄고 따로 두세요.

3. 튀김옷 입히기 :: 밑간해 둔 코다리에 전분으로 튀김옷을 입혀주세요.

4. 코다리 튀기기 :: 대형 프라이팬에 식용유를 1cm 높이로 붓고, 튀김기능 160℃에서 코다리가 속까지 잘 익도록 천천히 바삭하게 튀겨냅니다.

5. 완성하기 :: 끓여 둔 양념장에 튀긴 코다리를 넣고, 골고루 양념이 잘 묻도록 뒤적인 다음, 통깨와 고추채를 얹어주세요.

매운 참치 볶음

036

매콤하게 청양고추를 곁들인 참치 볶음.
밥 비벼 먹기도 좋고, 쌈을 싸 먹어도 좋답니다.
집에 상비해 두는 참치 통조림으로 담백한 반찬을 만들어보세요.

재료
참치 통조림 2캔(300g),
감자 ½개(130g), 당근 ¼개(90g),
양파 ½개(130g), 청양고추 3개

양념
고추장 4큰술, 케첩 2큰술, 올리고당 1큰술

만들기

0. 재료 준비하기 :: 참치 통조림은 참치 살과 국물을 분리해둡니다.

1. 채소 손질하기 :: 감자와 당근, 양파는 잘게 깍둑썰기하세요.

2. 채소 익히기 :: 중형 소스팬에 참치 국물을 붓고 감자, 당근, 양파를 넣어, 인덕션 7단에서 7분 익혀줍니다.

3. 고추 썰기 :: 청양고추는 동글동글하게 썰어두세요.

4. 참치 익히기 :: 익은 채소에 양념을 넣고 볶다가 참치를 넣고 살짝 볶아주세요.

5. 완성하기 :: 청양고추를 넣고 인덕션 5단에서 2분 익힌 뒤 뒤적여 마무리합니다.

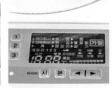
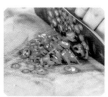

요거트 드레싱의
자몽 샐러드

037

레몬, 자몽, 오렌지 등 감귤류를 영어로는 '시트러스' 라고 부르죠.
이름부터 상큼하네요.
부드러운 요거트와 퀜치 레몬으로 만드는
상큼한 드레싱을 곁들인 상큼상큼 샐러드입니다.

한
그
릇
반
찬

재료
자몽 ½개, 오렌지 1개, 아보카도 ½개,
베이비 채소 1줌

드레싱
플레인 요거트 50g, 퀜치 레몬 1작은술,
꿀 1작은술

Tip. 기호에 따라 발사믹 크림을 곁들여도 맛
있답니다.

만들기

0. 재료 준비하기 :: 베이비 채소를 깨끗하게 씻어 물기를 제거
하세요.

1. 드레싱 만들기 :: 요거트 드레싱은 분량대로 섞어 만들어두
세요.

2. 시트러스 손질하기 :: 자몽과 오렌지는 껍질을 벗기고 슬라
이스 합니다.

3. 아보카도 손질하기 :: 아보카도는 껍질을 벗기고 얇게 슬라
이스 하세요.

4. 접시에 담기 :: 접시에 드레싱을 먼저 뿌리고, 베이비 채소
를 깔아준 다음 오렌지, 아보카도, 자몽 순으로 올리고, 드레
싱을 뿌려 마무리합니다.

퀸으로 반찬하기 ·················· 99

연근 초무침
샐러드

038

몸에 좋은 뿌리채소 연근.
조림뿐만 아니라 새콤한 드레싱을 사용해서
산뜻한 샐러드로도 만들 수 있어요.
통깨와 참기름으로 고소함까지 더해주세요.

재료
연근 1개, 청 피망 ¼개, 홍 피망 ¼개,
노란 피망 ¼개

드레싱
식초 ¼컵, 설탕 2큰술, 맛간장 2큰술,
참기름 1큰술, 통깨 3큰술

만들기

0. 재료 준비하기 :: 연근은 필러로 껍질을 제거하고 0.5cm 두께로 모양을 살려 썰어두세요. 통깨는 곱게 갈아 깨소금을 만들어둡니다.

1. 드레싱 준비하기 :: 돔형 뚜껑에 드레싱 재료를 모두 섞어 준비해두세요.

2. 연근 삶기 :: 손질해둔 연근은 끓는 물에 약간의 식초를 넣어 인덕션 10단에서 6분간 삶아 찬물에 헹궈 물기를 빼주세요.

3. 피망 손질하기 :: 연근을 삶는 동안 피망을 각각 먹기 좋은 크기로 썰어줍니다.

4. 버무리기 :: 연근과 피망을 드레싱에 버무려 냉장고에서 1시간 숙성시키세요.

미역 오이 무침

039

몸에 좋은 미역을 새콤달콤하게 무치는 미역 오이 무침.
오이의 아삭함이 더해져 입맛을 돋워주는 반찬입니다.
미역의 물기를 최대한 제거하는 것이 맛있는 미역 무침의 비결!

재료
불린 미역 100g, 청오이 1개, 양파 ¼개,
소금 ½작은술

양념
설탕 3큰술, 식초 3큰술, 참기름 2작은술,
소금 ⅓작은술

만들기

0. 재료 준비하기 :: 마른미역을 물에 20~30분 불려 준비합니다.

1. 양파 썰기 :: 양파는 채를 썰어 찬물에 담가 매운맛을 빼주세요.

2. 오이 썰기 :: 오이는 반 갈라 0.5cm 두께로 어슷썰기 한 후 소금 ½작은술에 절여 물기를 꼭 짜둡니다.

3. 미역 삶기 :: 소형 소스팬에 물을 끓여 미역을 파랗게 데쳐낸 다음, 찬물에 헹구어 물기를 빼주세요.

4. 무치기 :: 돔형 뚜껑에 설탕, 식초, 참기름을 섞어주고, 미역, 오이, 양파를 차례로 넣어 버무린 다음, 모자란 간은 소금으로 맞춰 담아냅니다.

돼지고기 두루치기

040

돼지고기 목살과 새콤하게 익힌 김치로 만드는 돼지고기 두루치기.
쌀쌀한 날, 비 오는 날 반찬으로 좋아요.
집집마다 김치의 간이 다르니까 부족한 간은 소금으로 맞춰 맛을 더하세요.

재료
돼지고기 목살 350g, 익힌 배추김치 500g,
두부 ½모, 대파 1대, 청양고추 1개

양념
고춧가루 2큰술, 다진 마늘 1큰술,
황태 육수 1컵

만들기

0. 재료 준비하기 :: 돼지고기는 2cm 두께의 목살을 준비합니다.

1. 고기 익히기 :: 대형 프라이팬을 인덕션 10단에서 1분 예열한 후 고기를 넣고 인덕션 8단에서 뚜껑 덮어 수봉현상까지, 다시 뒤집어 1분 더 익혀주세요.

2. 김치 손질하기 :: 배추김치는 반으로 갈라 손으로 길게 찢어 고춧가루와 다진 마늘을 넣어 무쳐주세요.

3. 김치 익히기 :: 대형 프라이팬에 익혀 둔 고기 위에 손질해 둔 김치를 얹고, 황태 육수를 부어 인덕션 8단에서 끓여줍니다.

4. 채소 손질하기 :: 대파와 청양고추는 어슷썰기하고, 두부는 1cm 두께로 썰어두세요.

5. 채소 익히기 :: 수봉현상이 일어나면 청양고추, 두부, 대파를 넣고 5분 정도 더 끓여줍니다.

우엉 깨 소스
무침

041

우엉의 고소하고 산뜻한 변신.
우엉 깨 소스 무침입니다.
몸에 좋은 뿌리채소인 우엉으로 맛있게 만들어봐요.

재료
우엉 200g, 어린잎 채소 100g,
두부 ½모, 대파 1대, 청양고추 1개

단촛물
설탕 2큰술, 식초 2큰술, 물 2큰술,
소금 1작은술

소스
곱게 간 깨 5큰술, 마요네즈 5큰술,
올리고당 2작은술, 양조간장 2작은술,
소금 조금

만들기

0. 재료 준비하기 :: 어린잎 채소를 깨끗하게 준비해둡니다.

1. 우엉 손질하기 :: 우엉은 껍질을 벗기고 씻은 다음, 0.5cm
두께로 어슷 썰어주세요.

2. 우엉 절이기 :: 손질한 우엉은 인덕션 10단에서 끓는 물에 1
분 정도 데친 후, 단촛물에 15분 정도 절인 다음, 건져 물기를
뺍니다.

3. 소스 만들기 :: 돔형 뚜껑에 소스 재료를 모두 섞어주세요.

4. 우엉 섞기 :: 준비된 깨 소스에 물기를 제거한 우엉을 섞어
줍니다.

5. 담아내기 :: 어린잎 채소를 더해 살살 버무리고 담아내세요.

달래 무침

042

봄의 향기 가득한 달래.
요즘은 꼭 봄이 아니라도 향긋한 식탁을 만들 수 있죠.
신선한 달래는 보관 과정에서 흙이나 돌이 나오는 경우가 있으니,
깨끗하게 손질하고 살살 무쳐주세요.

재료
달래 300g, 오이 1개, 양파 ¼개

양념
양조간장 2큰술, 고춧가루 2큰술,
식초 2큰술, 설탕 1큰술, 소금 1작은술,
통깨 2작은술

만들기

0. 재료 준비하기 :: 달래는 둥근 뿌리 부분을 깨끗하게 손질해 씻어주세요.

1. 양념 섞기 :: 돔형 뚜껑에 통깨를 제외한 모든 양념 재료를 섞어둡니다.

2. 오이 썰기 :: 오이는 반으로 갈라 어슷썰기 하세요.

3. 달래 썰기 :: 달래는 물기를 빼고 5cm 길이로 썰어줍니다. 양파도 채를 썰어 주세요.

4. 양념 무치기 :: 준비해 둔 양념에 양파와 오이를 먼저 무친 다음 달래를 넣고 가볍게 섞어냅니다.

새우 브로콜리 볶음

043

통통한 새우와 몸에 좋은 브로콜리를 따뜻하고 부드럽게 볶아내는
새우 브로콜리 볶음이에요.
브로콜리는 혈액순환, 노화 예방 등에 효과가 좋다고 하고,
다크서클 없애고 기미를 옅어지게 한다는 보물 같은 채소죠.
맛있는 요리를 만들어 봐요.

재료
칵테일 새우 200g, 브로콜리 100g,
양파 ½개, 마늘 2쪽, 포도씨유 2큰술

양념
굴 소스 1큰술, 청주 1큰술, 녹말물 1큰술,
참기름 1작은술, 소금, 후추 약간씩

Tip. 새우가 없다고 걱정하지 마세요. 마늘을
데쳐 넣어도 맛있답니다.

만들기

0. 재료 준비하기 :: 칵테일 새우와 브로콜리는 소금물에 씻어
서 물기를 빼둡니다.

1. 브로콜리 익히기 :: 중형 프라이팬에 젖은 키친타월을 깔고,
한입 크기로 썬 브로콜리를 넣어 인덕션 8단에서 수봉현상이
일어나면 꺼내 식혀두세요.

2. 향신채 썰기 :: 양파는 사방 2cm 크기로 썰고. 마늘은 편으
로 썰어줍니다.

3. 재료 볶기 :: 웍에 포도씨유를 두르고 마늘과 양파를 볶다가
칵테일 새우를 넣어 인덕션 7단에서 뚜껑 덮어 두세요.

4. 소스 넣기 :: 수봉현상이 일어나면 청주와 굴 소스를 넣어
볶아주세요.

5. 마무리하기 :: 준비해 둔 브로콜리와 녹말물, 참기름을 넣어
볶은 후 소금과 후추로 간을 맞춥니다.

더덕 구이

044

인삼의 사촌이라는 더덕.
향이 강하고 몸에 좋아 입맛 살리는데 참 좋아요.
하지만 몸에 좋은 그 성분, 사포닌이 쌉쌀한 맛을 내죠.
고추장 양념을 이용해서 맛을 살려주세요.

재료
더덕 300g, 조림 간장 3큰술,
참기름 3큰술, 고명용 쪽파와 통깨

양념
고추장 ⅓컵, 고운 고춧가루 1큰술,
올리고당 2큰술, 물 2큰술,
다진 마늘 2작은술

Tip. 같은 방식으로 황태를 구워도 맛있답니
다. 이때는 고추장 양념에 수분만 조금 더해
주세요.

만들기

0. 재료 준비하기 :: 더덕은 껍질을 벗겨 깨끗하게 준비해두세
요.

1. 더덕 손질하기 :: 더덕은 두꺼운 것만 반으로 갈라 방망이로
두드려 펴줍니다.

2. 더덕 재우기 :: 중탕용 이중냄비에 간장과 참기름을 섞어 더
덕에 밑간하고 30분간 재워두세요.

3. 양념 만들기 :: 더덕을 재우는 동안 소형 소스팬에 고추장
양념 재료를 모두 섞어 인덕션 6단에서 끓여줍니다.

4. 초벌 굽기 :: 대형 프라이팬을 인덕션 10단에서 1분 예열하
고, 양념에 재워둔 더덕을 넣어 인덕션 7단에서 뚜껑 덮고 1
분, 뒤집어서 인덕션 6단에서 1분 구워주세요.

5. 재벌 굽기 :: 초벌구이한 더덕에 끓여놓은 양념을 묻혀 대형
프라이팬에 다시 한 번 인덕션 6단에서 앞 뒤로 1분씩 구워줍
니다.

도라지 무침

045

도라지는 기관지에 좋아서 봄 가을에 많이 먹어요.
쌉쌀하고 몸에 좋은 사포닌 성분도 많이 들어있죠.
산뜻하게 무침으로 만들어봐요.

재료
도라지 200g, 오징어 몸통 1마리,
양파 ½개, 미나리 20g, 쪽파 1줄,
통깨 1큰술

단촛물
설탕 2큰술, 소금 1작은술, 식초 3큰술

양념
고춧가루 2큰술, 고추장 1½큰술,
조림 간장 1큰술, 설탕 1큰술,
올리고당 1큰술, 2배 식초 1큰술,
다진 마늘 1큰술, 송화소금 1작은술

만들기

0. 재료 준비하기 :: 도라지는 7cm 길이로 손질해서 소금에 주물러 쓴맛을 빼고 헹궈 물기를 제거하고, 양념은 모두 섞어두세요.

1. 도라지 재우기 :: 손질해 둔 도라지는 단촛물에 20분간 재워둡니다.

2. 오징어 손질하기 :: 오징어는 껍질을 벗기고 반으로 갈라 칼집을 넣어 1cm 두께로 썰어준 후 물 없이 중형 프라이팬에 넣어 인덕션 7단에서 수봉현상이 일어나면 꺼내 식혀주세요.

3. 채소 손질하기 :: 양파는 채를 썰어 찬물에 담가 매운맛을 제거하고, 미나리와 쪽파는 깨끗하게 씻어 5cm 길이로 잘라 준비합니다.

4. 도라지 수분 제거하기 :: 단촛물에 재워둔 도라지는 물기를 빼주세요.

5. 버무리기 :: 도라지, 오징어, 양파와 미나리에 미리 준비해 둔 양념을 넣어 골고루 버무린 후 통깨를 뿌려 완성합니다.

우엉 잡채

046

당면 없이 만드는 우엉 잡채입니다.
우엉을 조려 미리 준비해 두었다가 나머지 재료를 준비해서 버무려도 좋아요.
몸에 좋은 우엉과 예쁜 삼색 파프리카로
예쁘고 맛도 좋은 한 그릇 반찬을 만들어봐요.

재료
우엉 200g, 양파 ¼개,
삼색 파프리카 ¼개씩

양념
진간장, 2큰술, 물 3큰술, 미림 2큰술,
올리고당 1½큰술, 포도씨유 1큰술,
참기름 1큰술, 생강즙 1큰술, 통깨 1큰술

Tip. 조려 둔 우엉은 김밥 재료로도 사용해보
세요.

만들기

0. 재료 준비하기 :: 우엉은 깨끗하게 손질해서 4cm 길이로 잘
라둡니다.

1. 채 썰기 :: 우엉은 채를 썰어둡니다. 양파와 삼색 파프리카
도 채를 썰어 두세요.

2. 채소 볶기 :: 예열한 대형 프라이팬에 포도씨유를 두르고 양
파를 볶아 향을 낸 다음, 인덕션 8단에서 파프리카를 함께 볶
아 덜어둡니다.

3. 우엉 조리기 :: 채소를 볶아낸 대형 프라이팬에 우엉과 간
장, 올리고당, 미림, 물을 넣고, 인덕션 7단에서 뚜껑 덮어 5
분, 인덕션 10단에서 뚜껑 열고 4분 익혀주세요.

4. 버무리기 :: 식혀 둔 재료와 우엉을 섞고, 참기름, 생강즙,
통깨를 넣어 버무립니다.

마늘종 삼겹살 말이

047

마늘종은 마늘의 꽃줄기를 말합니다.
주로 장아찌나 볶음을 만들어 먹죠.
마늘의 좋은 성분을 마늘종도 함께 가지고 있기 때문에
자주 먹을수록 좋은데요.
단백질을 더하는 삼겹살 말이로 마늘종 요리의 품격을 올려볼까요?

재료
삼겹살 샤부샤부용 200g, 마늘종 200g,
밑간용 소금·후추 약간씩

양념
식초 1큰술, 맛술 ½큰술,
녹차 쌈장 1½큰술, 땅콩버터 1큰술,
참기름 ½작은술

만들기

0. 재료 준비하기 :: 마늘종은 한 뼘 길이로 썰어 준비하세요.

1. 삼겹살 말기 :: 삼겹살은 소금과 후추로 살짝 밑간하고, 마늘종을 5~6개씩 잡아 삼겹살로 돌돌 말아줍니다.

2. 앞면 익히기 :: 대형 프라이팬을 인덕션 10단에서 1분 예열하고, 말아 둔 삼겹살을 넣어 인덕션 5단에서 뚜껑 덮고 3분간 익혀주세요.

3. 양념 만들기 :: 양념 재료는 모두 섞어 준비합니다.

4. 뒷면 익히기 :: 한 면이 익은 삼겹살 말이를 뒤집어서 다시 뚜껑 덮고 5분간 익혀주세요.

5. 담아내기 :: 도라지, 오징어, 양파와 미나리에 미리 준비해 둔 양념을 넣어 골고루 버무린 후 통깨를 뿌려 완성합니다.

가지 전

048

보랏빛 예쁜 가지.
말캉한 질감에 풍부한 안토시아닌으로 몸에 아주 좋죠.
만들기도 쉽고, 먹기도 쉬운 전으로 만들어 보아요.

재료
가지 2개(약 300g), 절임용 소금 2작은술,
달걀 1개, 노른자 1개, 다진 마늘 ½작은술,
찹쌀 가루 2큰술, 식용유 2큰술

양념
조림 간장 2큰술, 다진 마늘 1작은술,
참기름 ½작은술, 고춧가루 1작은술,
통깨 1작은술

만들기

0. 재료 준비하기 :: 가지는 두께가 고른 것으로 준비하고, 양념은 모두 섞어둡니다.

1. 가지 손질하기 :: 가지는 꼭지를 자른 다음 0.7cm 폭으로 어슷 썰어 앞 뒷면 모두 소금을 조금씩 뿌려 10분간 절인 다음 물기를 없애주세요.

2. 달걀 풀기 :: 중탕용 이중냄비에 달걀 1개와 노른자 1개, 다진 마늘을 넣어 골고루 풀어줍니다.

3. 옷 입히기 :: (1)의 가지에 찹쌀 가루를 골고루 묻힌 후 (2)의 달걀 물을 입혀줍니다.

4. 익히기 :: 대형 프라이팬을 인덕션 10단에서 1분 예열하고, 식용유를 두른 뒤 인덕션 6단으로 낮춰 가지를 올리고, 뚜껑을 덮어 앞면 3분, 뚜껑 열고 뒷면 2분 구워줍니다. 양념을 곁들여 담아내세요.

애호박 새우전
카나페

049

예쁜 초록빛 애호박을 이용한 카나페에요.
새우를 한 마리씩 올려,
애호박을 손님상에 내기 딱 좋은 요리로 탈바꿈시켰답니다.
감탄을 부르는 애호박 새우전 카나페. 지금 시작합니다.

재료
애호박 1개, 칵테일 새우 6마리,
홍고추 ¼개, 밀가루 2큰술,
찹쌀 가루 1큰술, 달걀흰자 1개,
파프리카 30g, 소금 약간, 포도씨유 약간

양념
양조간장 ⅓작은술, 포도씨유 1작은술,
식초 1작은술, 설탕 ½작은술, 소금 약간

만들기

0. 재료 준비하기 :: 홍고추는 다지고 양념 재료는 모두 섞어주세요.

1. 호박 손질하기 :: 애호박은 5cm 길이로 잘라 돌려 깎기 해서 가늘게 채 썬 다음, 소금 ⅓작은술에 절여 물기를 제거합니다.

2. 파프리카 손질하기 :: 파프리카는 포를 떠서 2cm 길이로 가늘게 채를 썰어주세요.

3. 반죽하기 :: 중탕용 이중냄비에 절여 둔 애호박 채와 밀가루, 찹쌀 가루, 달걀흰자를 넣어 골고루 버무리세요.

4. 전 익히기 :: 대형 프라이팬을 인덕션 10단에서 1분간 예열한 다음 식용유를 두르고, 인덕션 5단으로 (3)의 반죽을 동그랗게 올린 다음, 밀가루를 묻힌 새우와 홍고추를 얹고 앞뒤로 3분씩 노릇하게 익혀줍니다.

5. 담아내기 :: 애호박 새우전을 접시에 담고, 채 썰어둔 파프리카를 양념에 버무려 전 위에 올려주세요.

소고기 전

050

육전이라는 이름으로도 불리는 소고기 전입니다.
일부 지방에서는 차례상에 올리기도 하지요.
차례 음식으로 만드는 건 아니니까 다진 마늘을 살짝 넣어
맛도 더해주고 혹시 모를 고기 냄새도 잡아줄 거예요.

재료
소고기 홍두깨살 200g, 달걀 1개,
노른자 1개, 밀가루 ½컵, 식용유 1큰술

양념
조림 간장 2큰술, 참기름 1큰술,
설탕 ½큰술, 다진 마늘 1작은술,
후춧가루 조금

만들기

0. 재료 준비하기 :: 소고기는 덩어리로 준비하여 핏물을 살짝
빼둡니다.

1. 고기 썰기 :: 소고기를 0.3cm 두께로 먹기 좋게 썰어주세
요.

2. 양념하기 :: 비닐 봉투에 준비된 고기를 담고, 양념을 모두
넣어 조물조물 무쳐 5분 정도 재워줍니다.

3. 옷 입히기 :: 재워둔 소고기에 밀가루와 달걀 물 순으로 옷
을 입혀주세요.

4. 익히기 :: 대형 프라이팬을 인덕션 10단에서 1분간 예열한
다음 식용유를 두르고, 인덕션 6단으로 낮춰 소고기를 앞뒤로
뒤집으며 전을 부칩니다.

깻잎
참치 전

051

맛있는 참치는 단백질이 풍부할 뿐만 아니라
DHA가 풍부해서 지능 발달에 도움이 되고 노인성 치매 예방에도 좋대요.
남녀노소 누구에게나 좋은 먹거리죠.
피부 노화에도 좋은 참치와 향긋한 깻잎으로 만든 깻잎 참치 전.
누구나 좋아하는 반찬이에요.

재료
깻잎 13~15장, 통조림 참치 1캔,
달걀 2개, 밀가루 ½컵, 양파 40g,
당근 30g, 불린 표고 1장, 포도씨유 1큰술

양념
다진 파 1큰술, 다진 마늘 ½큰술,
후춧가루 약간

만들기

0. 재료 준비하기 :: 참치를 체에 밭쳐 물기를 뺀 뒤 잘게 부숴 둡니다.

1. 채소 손질하기 :: 불린 표고와 양파, 당근을 곱게 다져 섞어 둡니다.

2. 소 만들기 :: (1)의 참치와 채소에, 양념을 넣은 뒤, 달걀을 풀어 달걀 물 5큰술을 섞어 버무려 소를 준비합니다.

3. 깻잎에 담기 :: 깻잎의 앞뒤에 밀가루를 묻힌 다음, 안쪽에 소를 넣어 반으로 접어주세요.

4. 달걀 물 입히기 :: 준비해 둔 깻잎이 벌어지지 않도록 조심해서 집어, 달걀 물을 앞뒤로 묻혀줍니다.

5. 익히기 :: 대형 프라이팬을 인덕션 10단에서 1분 예열한 다음, 포도씨유를 두르고 인덕션 6단으로 내려 앞뒤로 노릇하게 지져 마무리합니다.

애호박 간장구이

052

애호박의 색다른 변신, 간장구이입니다.
간단한 양념으로 깜짝 놀랄 맛을 선사합니다.
반찬 없을 때 간단하게 만들 수 있는 별미랍니다.

재료
애호박 1개, 소금 ½작은술, 들기름 1큰술,
포도씨유 1큰술

양념
다진 홍고추 1큰술, 다진 청고추 1큰술,
다진 마늘 1작은술, 양조간장 1큰술,
올리고당 1작은술

만들기

0. 재료 준비하기 :: 애호박은 굵기가 일정한 것으로 준비합니다.

1. 호박 절이기 :: 애호박은 1cm 두께로 둥글게 썰어 소금을 뿌려 20분간 절여주세요.

2. 물기 제거하기 :: 절여 둔 호박은 키친타월로 두드려 물기를 제거합니다.

3. 호박 굽기 :: 대형 프라이팬을 인덕션 10단에서 1분간 예열한 다음, 들기름과 포도씨유를 두르고 애호박을 넣어 인덕션 6단에서 2분, 뒤집어서 2분 구워 접시에 담아두세요.

4. 양념 만들기 :: 애호박을 익혀 낸 팬에 양념 재료를 모두 넣고 바글바글 끓여 애호박 위에 얹어 상에 냅니다.

말린 묵 볶음

053

말랑말랑한 묵은 원재료의 녹말을 굳혀 만드는 것이라서,
재료에 따라 도토리묵, 청포묵, 올방개묵 등 다양한 이름과 맛을 가지고 있죠.
묵을 쑨 다음 말려서 보관할 수 있는데, 쫄깃함이 더해져서 더욱 맛있답니다.

재료
말린 묵 100g, 청·홍피망 ¼개씩,
양파 ½개, 마늘 3개, 포도씨유 1큰술

양념
간장 2큰술, 참기름 1큰술, 통깨 1작은술,
올리고당 1½큰술

만들기

0. 재료 준비하기 :: 마늘은 편 썰어 두고, 말린 묵은 취향에 따라 골라 준비합니다.

1. 채소 손질하기 :: 양파는 채 썰고, 청·홍피망은 묵 크기에 맞춰 어슷하게 썰어두세요.

2. 묵 삶기 :: 대형 소스팬에 물을 끓여 말린 묵을 넣고 25~30분 삶아주세요.

3. 향 내기 :: 인덕션 10단에서 1분간 예열한 웍에 기름을 두르고, 인덕션 7단으로 낮춰 마늘을 볶다가 양파를 넣어 볶아줍니다.

4. 묵 볶기 :: (3)에 삶아 둔 묵을 넣어 볶아줍니다.

5. 양념하기 :: 묵이 어느 정도 볶아지면 간장과 청·홍피망을 넣으면서 볶고, 올리고당과 참기름, 통깨를 넣어 완성하세요.

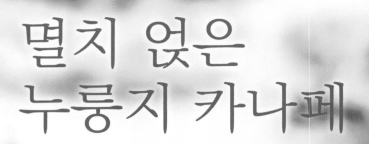

멸치 얹은
누룽지 카나페

054

멸치는 칼슘이 풍부해서 특히 성장기 어린이에게 좋지요.
아이들이 멸치를 더 잘 먹게 하여 주는 마법 같은 반찬.
달콤하고 고소한 멸치 얹은 누룽지 카나페입니다.

재료
찹쌀 누룽지 16개, 포도씨유

토핑
지리멸 ½컵, 호두 분태 ⅓컵, 땅콩 ⅓컵,
호박씨 ⅓컵, 올리고당 1큰술, 꿀 1큰술,
피자 치즈 1컵

만들기

0. 재료 준비하기 :: 땅콩은 호박씨 크기로 잘라둡니다.

1. 누룽지 튀기기 :: 찹쌀 누룽지는 튀김기능 180℃로 가열된
포도씨유에 튀겨 둡니다.

2. 토핑 만들기 :: 중형 프라이팬에 인덕션 5단에서 지리멸을
넣고 볶다가, 견과류를 넣고 살짝 볶아준 다음, 꿀과 올리고당
을 넣어 고루 섞어주세요.

3. 토핑하기 :: 대형 프라이팬에 실리콘 페이퍼를 깔고, 튀겨
놓은 찹쌀 누룽지에 준비해 둔 견과류 토핑을 1큰술 정도씩
얹고 피자 치즈를 올려줍니다.

4. 구워내기 :: 준비된 찹쌀 누룽지를 인덕션 4단에서 10분 정
도 구워 피자 치즈가 녹으면 꺼내주세요.

취나물 들깨 볶음

055

취나물은 식이섬유가 풍부하고 칼륨이 풍부해
체내의 염분을 배출시켜주는 효능이 있답니다.
봄나물이지만 말려서 보관하면 언제든지 즐길 수 있지요.
향긋한 취나물을 들깻가루로 구수하게 볶아내는 들깨 볶음입니다.

재료
삶은 취나물 200g, 포도씨유 2큰술

양념
다진 파 2큰술, 다진 마늘 2작은술,
양조간장 1½큰술, 들깻가루 ½컵,
들기름 1큰술

만들기

0. 재료 준비하기 :: 생취를 사용한다면, 깨끗하게 손질해서 물 5컵에 소금 1작은술을 넣은 끓는 소금물에 1분 정도 데친 다음, 재빨리 찬물에 헹궈 물기를 살짝 짜두세요.

1. 양념하기 :: 웍 뚜껑에 데친 취나물과 다진 마늘, 간장을 넣고 간이 배도록 조물조물 무쳐주세요.

2. 향 내기 :: 웍에 포도씨유를 두르고 인덕션 5단에서 다진 파를 볶아 향을 내줍니다.

3. 나물 볶기 :: 인덕션 7단으로 올려, 양념해 둔 취나물을 2분 정도 볶아준 다음 펼쳐 식혀주세요.

4. 완성하기 :: 식혀 둔 취나물 볶음에 들깻가루와 들기름을 넣고 고루 섞어주세요.

바싹
불고기

056

불고기는 맛있는 양념들로 물기가 많아져서 밥을 비벼 먹는 경우도 있지만,
물기 없이 볶아내는 경우도 있죠.
이런 걸 바싹 불고기라고 한답니다.
전분으로 살짝 수분을 잡아주는 것이 포인트예요.

재료
소고기(불고기용) 300g, 다진 쪽파 1큰술,
통깨 1작은술

고기 밑간
전분 2작은술, 청주 1큰술,
굴 소스 2작은술, 참기름 1큰술

양념
양조간장 1큰술, 미림 1큰술, 배즙 1큰술,
올리고당 1큰술, 포도씨유 1큰술,
다진 마늘 2작은술

만들기

0. 재료 준비하기 :: 소고기는 불고기용으로 준비하여 핏물을
빼세요.

1. 밑간하기 :: 핏물 뺀 소고기는 먹기 좋은 크기로 썰어 밑간
양념에 재워둡니다.

2. 양념 섞기 :: 양념장은 모두 섞어 두세요.

3. 고기 익히기 :: 대형 프라이팬을 인덕션 10단에서 1분 예열
하고, 포도씨유 1큰술을 두른 후 밑간한 고기를 넣어 뚜껑 덮
고 인덕션 8단에서 2분 익혀주세요.

4. 양념 넣기 :: 뚜껑 열고, 섞어놓은 양념을 넣어 볶아줍니다.

5. 담아내기 :: 익은 고기를 그릇에 담고, 다진 쪽파와 통깨를
올려주세요.

쇼가야키

057

쇼가는 일본어로 생강이라는 뜻이랍니다.
일본인들이 즐겨 먹는 생강 돼지고기구이에요.
부드럽고 향긋한 맛이랍니다. 아삭한 양배추 샐러드를 곁들여주세요.

한 그릇 반찬

재료
돼지고기 목살 300g, 포도씨유 1큰술,
양배추 약간, 마요네즈 약간

양념
양조간장 1큰술, 미림 1½큰술,
청주 1큰술, 설탕 1작은술,
다진 생강 ½큰술

만들기

0. 재료 준비하기 :: 양배추는 곱게 채를 썰어 차가운 물에 담가둡니다.

1. 고기 양념하기 :: 프라이팬 뚜껑에 양념을 모두 넣고 돼지고기를 양념하세요.

2. 고기 굽기 :: 예열한 대형 프라이팬에 기름을 두르고, 인덕션 8단에서 양념한 고기를 넣어 뚜껑 덮어 수봉현상까지, 뒤집고 다시 뚜껑 덮어 2분 익혀줍니다.

3. 고기 색 내기 :: 뚜껑을 열고, 수분을 날리면서 조려 고기에 색을 내주세요.

4. 완성하기 :: 양배추는 물기를 빼고 접시에 담고, 그 옆에 돼지고기를 담아냅니다.

깐풍 닭 날개 구이

058

살짝 매콤하면서도 새콤달콤한 맛의 깐풍 소스는
어떤 재료와도 궁합이 잘 맞아요.
새우나 만두를 튀겨 버무리거나 닭고기로 만드는 중국식 깐풍기가 유명하지요.
닭 날개를 저유로 튀겨 맛을 낸 깐풍 닭 날개 구이를 소개합니다.
뼈를 발라 먹는 재미가 쏠쏠하죠.

재료
닭 날개 500g, 대파 ½대, 마늘 3개,
삼색 파프리카 ¼개씩, 마른 고추 5개,
청주 2큰술, 녹말가루 1컵

양념
설탕 1½큰술, 간장 1½큰술,
식초 1½큰술, 물 4큰술, 굴 소스 1½큰술,
참기름 1큰술, 생강즙 2작은술,
후춧가루 약간

만들기

0. 재료 준비하기 :: 양념은 모두 섞어두고, 마늘은 편 썰어 준비합니다.

1. 채소 손질하기 :: 삼색 파프리카는 사방 1cm 크기로 다지고, 대파는 잘게 썰어주세요.

2. 튀김옷 입히기 :: 닭 날개는 찬물에 씻어 핏물을 빼고 물기를 제거한 다음, 녹말가루를 입혀줍니다.

3. 튀기기 :: 대형 프라이팬에 1cm 높이로 기름을 붓고, 차가운 기름에 녹말가루를 입힌 닭 날개를 넣어 인덕션 10단에서 10분, 뒤집어서 5분간 튀겨 내 기름을 빼주세요.

4. 소스 만들기 :: 웍에 기름을 두르고 먼저 마른 고추를 넣어 볶아 향을 내 준 다음, 마늘, 대파를 넣어 향을 낸 뒤, 청주를 넣어 준 다음 미리 섞어 둔 양념을 넣어 끓여주세요.

5. 완성하기 :: 소스가 끓으면 파프리카를 넣어 끓여주고, 끓어오르면 기름 뺀 닭 날개를 넣어 재빨리 버무리세요.

치킨 가라아게

059

일본식 닭튀김. 치킨 가라아게입니다.
치킨 가라아게는 주로 뼈 없는 닭튀김을 말하는데요.
닭의 다양한 부위 중 쫄깃한 허벅지 살로 만드는 것이 맛있답니다.
주로 맛있게 튀겨서 요리로 먹고,
치킨 가라아게동 이라고 불리는 덮밥을 만들기도 합니다.

재료
닭 허벅지살 600g, 달걀노른자 1개,
감자 전분 ½컵

밑간 양념
조림 간장 2큰술, 청주 1큰술,
다진 마늘 1작은술, 다진 생강 1작은술,
후추 조금

곁들임
파채 약간, 레몬 ¼개

만들기

0. 재료 준비하기 :: 밑간 양념은 모두 섞어 준비해둡니다.

1. 닭 손질하기 :: 닭고기는 기름기를 제거하고, 한입 크기로 썰어 밑간 양념에 30분간 재워 두세요.

2. 튀김옷 입히기 :: 재워 둔 닭고기에 달걀노른자를 넣어 섞은 다음 감자 전분을 넣어 잘 섞어줍니다.

3. 초벌 튀기기 :: 웍에 포도씨유를 넣고 인덕션 튀김기능 170℃에서 닭고기를 반씩 나눠 3분 정도 튀겨줍니다.

4. 완성하기 :: 튀김기능 180℃로 온도를 올려 다시 반씩 나눠 3분간 튀겨 낸 다음 접시에 담고, 파채를 올린 후 레몬즙을 뿌려주세요.

커리 소스 꽃게 볶음

060

꽃게는 봄철의 암꽃게와 가을의 수꽃게가 제철이죠.
하지만 신선한 꽃게로 만드는 게장이 아닌 꽃게의 튀김이나 볶음요리 등은
냉동을 사용해도 맛있습니다.
냉동 꽃게를 사용해 언제든 맛있게 즐길 수 있는 꽃게 볶음을 만들어봐요.

재료
냉동 꽃게 300g, 청고추 1개, 홍고추 1개,
양파 50g, 다진 마늘 1작은술, 생강 15g,
베트남 고추 7~10개, 감자 전분 ½컵,
포도씨유 ¼컵 + 1큰술, 버터 20g

양념
커리 파우더 1큰술, 조림 간장 1큰술,
굴 소스 1큰술, 청주 1큰술,
황태 육수 3큰술, 포도씨유 1큰술,
참기름 1큰술, 생강즙 1큰술, 통깨 1큰술

만들기

0. 재료 준비하기 :: 냉동 꽃게는 해동 후 채에 받쳐 물기를 빼고, 양념은 모두 섞어둡니다.

1. 꽃게 익히기 :: 꽃게에 감자 전분을 묻힌 다음, 인덕션 10단에서 1분 예열한 대형 프라이팬에 포도씨유 ¼컵을 두르고 인덕션 7단에서 8분, 뒤집어서 5분간 익혀주세요.

2. 채소 손질하기 :: 양파는 다지고, 생강은 곱게 채 썰어주세요. 청·홍고추는 0.5cm 두께로 채 썰어줍니다.

3. 향 내기 :: 웍에 인덕션 5단에서 버터와 포도씨유를 녹인 다음, 생강 채를 넣어 향을 내고, 다진 양파와 베트남 고추, 다진 마늘을 넣어 볶아 향을 내주세요.

4. 양념 끓이기 :: (3)을 인덕션 8단으로 올려 섞어 둔 양념을 넣어 끓여주세요.

5. 완성하기 :: 끓고 있는 양념에 구워 둔 꽃게를 넣어 양념을 고르게 묻혀 볶아준 다음, 청·홍고추를 넣어 한 번 더 섞어줍니다.

마요네즈
호두 새우

061

부귀새우라는 이름으로도 잘 알려진,
고소하고 달콤한 마요네즈 소스에 버무린 중국식 새우튀김 요리에요.
고소한 호두와 바삭한 누룽지를 곁들여 더욱 맛있게 소개합니다.
손님 초대 요리로도 적당해요.

한 그 릇 반 찬

재료
새우 10마리, 찹쌀 누룽지 6장, 호두 20g,
감자 전분 40g, 튀김용 포도씨유 2컵

양념
마요네즈 5큰술, 유기농 설탕 2큰술,
퀸치 레몬 3큰술, 생크림 ½컵

만들기

0. 재료 준비하기 :: 호두는 4~6등분 하거나 분태를 준비하고,
대형 프라이팬에 기름을 튀김기능 180℃로 예열해둡니다.

1. 새우 준비하기 :: 새우는 물기를 씻어 준비한 다음, 마른 감
자 전분을 묻혀두세요.

2. 재료 튀기기 :: 예열 된 기름에 누룽지를 바삭하게 튀겨내
고, 튀김기능 160℃로 줄여 준비된 새우를 3~4분 정도 튀겨
냅니다.

3. 소스 만들기 :: 소스 재료는 모두 섞어 준비하세요.

4. 버무리기 :: 웍에 준비해 둔 소스를 넣고, 인덕션 6단에서
끓여준 후, 튀겨 둔 새우와 호두를 넣고 버무리세요.

5. 마무리하기 :: 접시에 튀긴 누룽지를 먹기 좋게 담고, 소스
에 버무린 새우와 호두를 담아줍니다.

유린기

062

유린기는 중국식으로 만드는 치킨 샐러드예요.
새싹 채소를 곁들여서 새콤달콤한 소스를 곁들이는 거죠.
알고 보면 아주 쉬운 유린기. 함께 만들어요.

재료
닭 안심살 5장, 새싹 채소 ¼통, 우유½컵,
소금 약간, 후추 약간, 녹말가루 2큰술,
달걀 ½개, 빵가루 ½컵

양념
쪽파 1대, 풋고추 1개, 홍고추 1개,
설탕 1큰술, 물 2큰술, 식초 2큰술,
간장 2큰술, 참기름 약간

만들기

0. 재료 준비하기 :: 쪽파, 풋고추, 홍고추는 잘게 썰고, 소스 재료는 모두 섞어 냉장실에 차게 보관해둡니다. 달걀은 잘 풀어서 반 개 분량만 준비합니다.

1. 닭 손질하기 :: 닭 안심은 우유와 소금 후추를 넣고 밑간 하여 1시간 정도 재워주세요.

2. 튀김옷 입히기 :: 밑간해둔 닭에 녹말가루와 달걀을 섞어 버무린 다음, 빵가루를 입혀둡니다.

3. 닭 튀기기 :: 대형 프라이팬에 튀김기능 170℃의 기름에 닭을 노릇하게 튀겨 기름을 빼주세요.

4. 담기 :: 얼음물에 담갔다 건져 아삭한 새싹 채소의 물기를 제거하고, 접시에 펼쳐 담은 다음, 튀겨 둔 닭을 한입 크기로 썰어 담아줍니다.

5. 소스 얹기 :: 차갑게 준비해 둔 소스를 얹어 마무리하세요.

Part. 3

국과 찌개

재료의 수분을

지켜주는 퀸.

진하고 따끈한

국물 요리를 만듭니다.

굴 배춧국

버섯 새우탕

조랭이떡을 넣은 들깨 미역국

얼큰 소고기뭇국

청국장 찌개

소고기 강된장 찌개

참치 순두부

굴 배춧국

063

국물이 시원한 영양국, 고소한 배추를 넣고 끓이는 굴 배춧국입니다.
영양 만점 굴과 고소한 맛이 일품인 노란 배춧속으로
개운하고 맑은국을 끓여볼까요?

재료
굴 350g(봉지굴 한 봉), 배춧속 100g,
무 100g, 황태 육수 5컵, 홍고추 1개,
쪽파 3줄

양념
다진 마늘 1큰술, 포도씨유 1큰술,
소금 1작은술, 멸치액젓 1큰술

만들기

0. 재료 준비하기 :: 굴은 소금물에 살살 흔들어 씻어 준비합니다.

1. 채소 손질하기 :: 배추는 어슷 썰고, 무는 납작하게 썰어둡니다. 홍고추는 채 썰고, 쪽파도 3cm 길이로 썰어 준비하세요.

2. 향 내기 :: 대형 소스팬에 포도씨유를 두르고 인덕션 5단에서 다진 마늘을 볶아 향을 냅니다.

3. 육수 끓이기 :: (2)에 인덕션 10단에서 황태 육수를 넣고, 끓으면 배추와 무를 넣어 끓여줍니다.

4. 굴 넣기 :: 굴을 넣고 한소끔 끓으면 소금과 멸치 육수로 간을 맞추고, 쪽파와 홍고추 채를 넣어줍니다.

버섯 새우탕

064

탱글탱글한 새우와 몸에 좋은 버섯으로 만드는 버섯 새우탕입니다.
전분을 묻힌 새우와 참기름으로 맛을 낸 중국풍의 따뜻한 국물로,
쌀쌀한 겨울에 특히 좋은 국이랍니다.

재료
중새우 10마리, 양송이버섯 2개,
표고버섯 1개, 대파 ½대, 홍고추 ½개,
마늘 2개

양념
전분 3큰술, 황태 육수 4컵, 간장 ⅔큰술,
소금 1작은술, 참기름 1작은술

만들기

0. 재료 준비하기 :: 새우는 껍질을 제거하고 마늘은 편으로 썰어두세요.

1. 부재료 손질하기 :: 양송이버섯과 표고버섯은 편으로 썰고, 대파와 홍고추는 동글게 썰어둡니다.

2. 새우 손질하기 :: 새우는 전분을 묻히며 방망이로 살살 두드려 부드럽게 만들어주세요.

3. 새우 끓이기 :: 중형 소스팬에 인덕션 10단에서 황태 육수를 부어, 육수가 끓어오르면 마늘편과 새우를 넣어줍니다.

4. 버섯 끓이기 :: 끓어오르면 인덕션 8단으로 줄이고 버섯을 넣은 다음, 거품을 걷으면서 10분 정도 끓여 새우가 익으면 간장과 소금으로 간을 맞추세요.

5. 완성하기 :: 홍고추와 대파를 얹고 참기름으로 마무리한 후 불을 꺼주세요.

조랭이떡을 넣은
들깨미역국

065

개성지방에서 먹던 가래떡의 한 종류인 조랭이떡.
길함을 나타내는 누에고치 모양이라고 하는데
모양이 귀엽고 쫄깃한 맛이 좋아 사랑받는 재료랍니다.
영양이 풍부한 들깨 미역국에 조랭이떡을 넣어
쉽고 간단한 한 끼 식사를 만들어볼까요?

재료
진상각 자른 미역 1봉(20g),
조랭이떡 200g

양념
간장 1큰술, 멸치액젓 2큰술,
들기름 2큰술, 들깻가루 ⅔컵, 물 6컵

만들기

0. 재료 준비하기 :: 미역은 물에 30분 불려두세요.

1. 미역 볶기 :: 대형 소스팬을 인덕션 8단에 두고, 불린 미역, 들기름, 멸치액젓, 간장을 넣어 달달 볶아줍니다.

2. 미역국 끓이기 :: 미역이 어느 정도 볶아지면 물을 넣어 국을 끓입니다.

3. 떡 끓이기 :: 국이 끓으면 조랭이떡을 넣어줍니다.

4. 들깨 넣기 :: 떡이 끓어오르면 인덕션 5단으로 줄이고, 들깻가루를 넣어 한소끔 더 끓여 마무리합니다.

얼큰
소고기무국

066

매콤한 소고기뭇국은 육개장뿐이라고 생각하셨다면 편견을 버리세요.
경상도에서 많이 끓인다는 얼큰 소고기뭇국입니다.
콩나물로 개운한 맛을 더한 얼큰 소고기뭇국.
한 번 드시면 그 매력에 빠질 거예요.

재료
소고기 양지머리 250g, 무 350g,
콩나물 120g, 청양고추 2개, 대파 ½대,
다시마 육수 8컵, 참기름 1큰술

양념
고춧가루 2큰술, 간장 2큰술,
멸치액젓 2큰술, 다진 마늘 1큰술

0. 재료 준비하기 :: 콩나물은 뿌리를 제거하고 손질해두세요.

1. 채소 손질하기 :: 무는 직사각형으로 나박썰고, 청양고추와 대파는 어슷 썰어둡니다.

2. 고기 볶기 :: 스튜포트에 참기름을 두르고 인덕션 7단에서 소고기를 넣어 볶다가, 고기 겉면이 익으면 무를 넣고 1분 정도 볶아줍니다.

3. 육수 끓이기 :: 다시마 육수를 넣어 인덕션 10단에서 팔팔 끓여주세요.

4. 콩나물 넣기 :: 다진 마늘, 고춧가루를 넣어 섞어준 다음, 콩나물을 넣어 한소끔 끓여줍니다.

5. 간 맞추기 :: 간장과 멸치액젓을 넣어 간을 맞추고, 대파와 청양고추를 넣어 한 번 더 끓여주세요.

청국장
찌개

067

청국장은 칼로리가 낮고 유산균과 섬유질이 풍부하며
항암 효과도 있는데다 노화 방지 효과도 있는 몸에 좋은 음식 재료인데,
독특한 냄새 때문에 꺼리는 분들도 많죠.
요즘은 냄새를 제거한 청국장들도 시중에 많이 나와 있어서
선택의 폭이 넓어졌답니다.
건강 찌개에 도전해 보세요.

재료
소고기(양지) 100g, 배추김치 200g,
두부 ½모, 황태 육수 4컵, 밀가루 1큰술,
대파 ½대, 청양고추 2개, 홍고추 1개

양념
청국장 200g, 다진 마늘 1큰술,
소금 1작은술, 포도씨유 1큰술

Tip. 부족한 간은 소금을 약간 넣고 김칫국물
로 맞춰주세요.

만들기

0. 재료 준비하기 :: 김치를 쫑쫑 썰어 준비해 둡니다.

1. 재료 손질하기 :: 고추와 대파는 어슷 썰고, 두부는 찌개용
으로 먹기 좋게 썰어주세요.

2. 김치 볶기 :: 대형 소스팬에 포도씨유를 두르고, 김치와 소
고기를 넣어 볶아주세요.

3. 청국장 넣기 :: 소고기가 익으면 황태 육수와 밀가루를 넣고
인덕션 10단에서 끓이다가 수봉현상이 일어나면 청국장을 잘
풀어 끓여주세요.

4. 완성하기 :: 청국장이 끓으면 두부와 다진 마늘, 고추를 넣
어 한소끔 더 끓여주고 대파를 넣어 마무리합니다.

소고기 강된장 찌개

068

건더기를 넣고 되직하게 끓여내는 강된장 찌개.
밥 비벼 먹기도 좋고 쌈을 싸먹기도 좋아요.
너무 짜지 않은 된장을 사용하는 것이 맛의 비결입니다.

재료
다진 소고기 200g, 불린 표고 6개,
양파 ½개, 애호박 ½개, 청양고추 2개,
우렁된장 ½컵, 올리고당 1큰술,
고추장 1큰술, 참기름 1큰술,
다시마 육수 1컵

소고기 양념
양조간장 1½큰술, 다진 마늘 2작은술,
다진 파 2큰술, 설탕 2작은술,
참기름 1큰술

만들기

0. 재료 준비하기 :: 소고기 양념을 모두 섞어 준비해둡니다.

1. 고기 밑간하기 :: 다진 소고기는 핏물을 제거하고 양념을 넣어 밑간해둡니다.

2. 채소 썰기 :: 애호박과 불린 표고, 양파는 1cm 크기로 깍둑 썰기하고, 청양고추는 0.5cm 두께로 썰어두세요.

3. 고기 볶기 :: 대형 소스팬에 참기름을 두르고, 양념한 소고기를 넣어 인덕션 5단에서 뚜껑 덮고 수봉현상까지 익혀줍니다.

4. 채소 볶기 :: 수봉현상이 일어나면 인덕션 7단으로 올리고, 준비해 둔 버섯과 양파, 애호박과 고추를 넣어 볶아주세요.

5. 된장 넣기 :: 고추장과 된장, 올리고당을 넣어 인덕션 8단에서 볶아줍니다.

6. 육수 넣기 :: 다시마 육수를 넣고 인덕션 7단에서 5분 끓여준 후 3단으로 줄여 1분간 더 끓여 마무리합니다.

참치 순두부

069

따뜻한 국물 요리가 필요한 날 아주 좋은, 간단 순두부 찌개입니다.
참치 통조림과 순두부만으로 간단하게 만들어서
반찬뿐 아니라 술안주로도 좋아요.

재료
참치 통조림 2개, 순두부 1봉,
청양고추 2개, 다진 마늘 1큰술,
대파 10cm, 황태 육수 2컵

양념
소금 ⅔큰술

Tip. 청양고추는 식성에 따라 가감하거나
고춧가루로 대체해도 됩니다.

만들기

0. 재료 준비하기 :: 순두부는 물기를 빼 둡니다.

1. 참치 끓이기 :: 중형 소스팬에 참치와 황태 육수, 다진 마늘을 넣어 인덕션 10단에서 끓여주세요.

2. 채소 썰기 :: 대파는 동그랗게 썰고, 청양고추는 어슷 썰어 둡니다.

3. 순두부 넣기 :: 준비해 둔 순두부를 넣고 끓여주세요.

4. 완성하기 :: (3)이 끓어오르면 청양고추와 대파를 넣고 인덕션 7단에서 3분 더 끓여 완성합니다.

Part. 4

김치와 장아찌

반찬 중의 반찬,

기본 중의 기본.

김치와 장아찌입니다.

봄동 겉절이

070

아삭하고 고소한 봄동.
봄동은 노지에서 겨울에 자라는 배추라서 추위를 피해 납작하게 자랍니다.
대신 고소하고 씹는 맛도 뛰어나죠.
빈혈 예방에도 좋은 봄동.
가볍게 무쳐 겉절이를 만들어봐요.

재료
봄동 1통(약 600g), 쪽파 6줄

양념
고춧가루 ½컵, 멸치액젓 ⅓컵,
다진 마늘 1큰술, 다진 생강 1작은술,
설탕 1큰술, 소금 ½큰술, 올리고당 1큰술,
통깨 1큰술

만들기

0. 재료 준비하기 :: 봄동은 씻어 물기를 빼둡니다.

1. 양념 준비하기 :: 양념은 모두 섞어두세요.

2. 봄동 손질하기 :: 봄동은 길이로 길게 잘라줍니다.

3. 쪽파 손질하기 :: 쪽파는 7cm 정도 길이로 잘라 두세요.

4. 양념하기 :: 봄동과 양념을 고루 섞어준 후 쪽파를 넣어 섞어줍니다.

오이소박이

071

시원한 오이로 만드는 오이소박이는 특히 여름철에 인기 있는 김치인데요.
부추로 소를 만들어 넣기 때문에 '소박이'라는 이름이 붙었지요.
빨리 시어지고 찌개를 끓이기도 어려워,
먹기 좋은 분량만큼씩 만들어 먹는 김치랍니다.

재료
오이 10개, 절임용 소금 3큰술,
부추 400g

양념
고춧가루 1컵, 멸치액젓 2큰술,
설탕 3큰술, 소금 1½큰술,
다진 마늘 2큰술

만들기

0. 재료 준비하기 :: 부추는 깨끗하게 준비해 물기를 빼둡니다.

1. 오이 손질하기 :: 웍에 오이를 반으로 잘라 아래쪽을 1.5cm 정도 남기고 십자로 잘라주세요.

2. 절이기 :: 손질한 오이는 절임용 소금에 1시간 정도 절여줍니다.

3. 부추 손질하기 :: 준비해 둔 부추는 1cm 길이로 잘라주세요.

4. 소 만들기 :: 부추에 가루 양념들부터 차례로 넣으면서 살살 버무려 준 다음, 오이가 절여지는 동안 불려줍니다.

4. 소 넣기 :: 오이가 다 절여지면 물기를 뺀 후 버무려 놓은 부추 소를 넣어주세요.

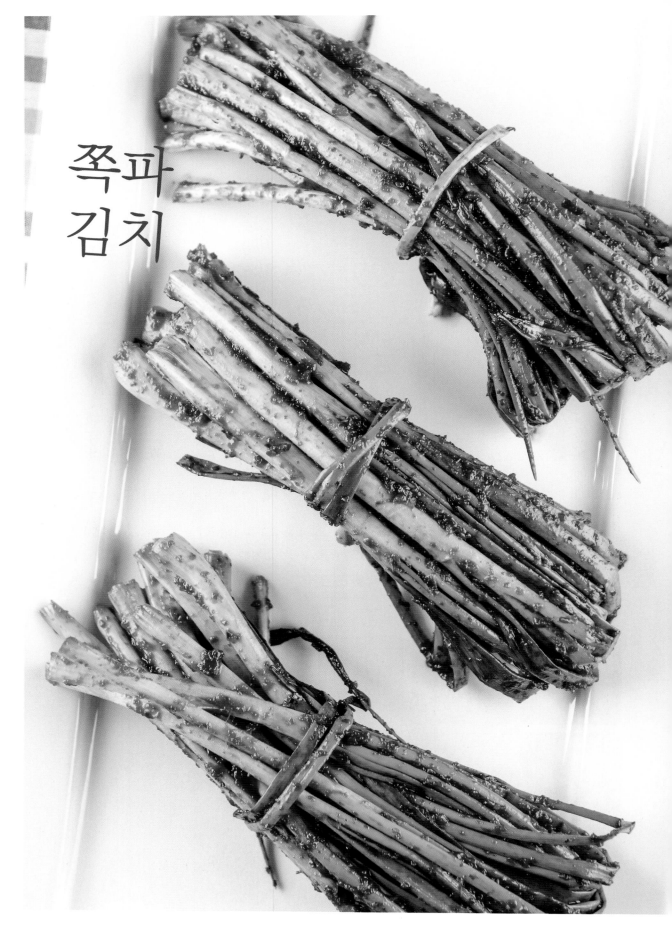

쪽파
김치

072

쪽파는 주로 향을 내는 데 쓰이지만
이 쪽파 김치는 몸을 따뜻하게 하고, 장에 좋으며 혈액순환에도 좋은
쪽파가 주인공인 김치랍니다.
잘 익혀서 먹어야 더 맛있는 쪽파 김치를 소개합니다.

재료
쪽파 500g

양념
멸치액젓 ⅔컵, 고춧가루 ⅔컵,
다진 마늘 3큰술, 설탕 2큰술,
올리고당 1큰술

만들기

0. 재료 준비하기 :: 쪽파를 깨끗하게 다듬어 씻고 물기를 빼주세요.

1. 양념 만들기 :: 웍에 양념을 모두 넣고 30분 정도 맛이 어우러지도록 두세요.

2. 양념 입히기 :: 준비해 둔 쪽파에 양념을 고루 발라 차곡차곡 쌓아둡니다.

3. 담기 :: 양념을 입힌 쪽파가 숨이 죽으면 한 줌씩 나누어 담아둡니다.

간단
깍두기

073

정말 간단하게 만들 수 있는 깍두기예요.
잎이 푸르고 단단하며 타원형의 매끈한 무가 맛있습니다.
주사위 모양이 아니라 가늘고 길쭉하게 썰어서 만들기도 쉽고
간도 잘 배이는 간단 깍두기.
무가 맛있을 때 쉽게 담가 맛있게 즐겨보세요.

재료
무 1kg, 멸치액젓 ½컵, 쪽파 6줄

양념
고춧가루 ½컵, 다진 마늘 1큰술,
매실액기스 1큰술, 다진 생강 1작은술,
올리고당 1큰술

만들기

0. 재료 준비하기 :: 무는 타원형으로 매끈하게 생긴 것으로 골라 깨끗하게 준비하세요.

1. 무 절이기 :: 무는 먹기 좋은 크기로 썰어 멸치액젓에 30분 절여줍니다.

2. 쪽파 손질하기 :: 쪽파는 무와 같은 길이로 잘라둡니다.

3. 양념하기 :: 절인 무에 양념을 모두 넣어 고루 버무려주세요.

4. 간 맞추기 :: 무의 수분에 따라 간이 부족할 수 있으니 소금으로 부족한 간을 맞추고, 쪽파를 넣어 잘 섞어 마무리합니다.

마늘종 장아찌

074

몸에 좋은 마늘의 성분을 간직한 마늘종으로
새콤달콤한 장아찌를 만들어요.

재료
마늘종 300g

양념
장아찌 간장 (p21 참조)

만들기

0. 재료 준비하기 :: 장아찌 간장을 미리 준비해 둡니다.

1. 마늘종 손질하기 :: 마늘종은 5cm 길이로 썰어 깨끗이 씻은 후 물기를 제거하세요.

2. 담기 :: 준비해 둔 용기에 손질한 마늘종을 ⅔ 정도 담아주세요.

3. 간장 붓기 :: 준비해 둔 장아찌 간장을 마늘종이 잠기게 부어줍니다.

4. 숙성하기 :: 실온에서 10일 정도 숙성시킨 후 냉장 보관 합니다.

간장 깻잎 장아찌

075

향이 좋은 깻잎은 다양한 방법으로 먹을 수 있죠.
조림 간장과 양조간장을 섞어 만드는
새콤달콤한 간장으로 만든 장아찌는
입맛을 돋워주는 좋은 반찬이에요.

재료
깻잎 100g, 청양고추 2개

양념
조림 간장 ½컵, 양조간장 ½컵, 식초 ¾컵,
설탕 2큰술, 청주 1큰술, 매실청 1큰술,
소금 1작은술

만들기

0. 재료 준비하기 :: 간장양념을 미리 준비해 둡니다.

1. 깻잎 담기 :: 깻잎을 깨끗이 씻어 물기를 빼서 꼭지를 다듬어 두고, 준비해 둔 용기에 서너 번에 나누어 담아주세요.

2. 고추 담기 :: 청양고추는 0.5cm 두께로 어슷 썰어 깻잎과 함께 담아둡니다.

3. 간장 붓기 :: 준비해 둔 간장양념을 재료가 잠기게 부어주세요.

4. 숙성하기 :: 실온에서 3일 정도 숙성시킨 후 냉장 보관 합니다.

양파 장아찌

076

혈당을 낮추고 다이어트에도 좋다는 양파.
새콤달콤한 간장으로 만든 양파 장아찌는 평상시에도 좋지만
고기 요리와 함께하면 더 잘 어울린답니다.

재료
양파 700g, 청양고추 2개, 홍고추 2개

양념
장아찌 간장 (p21 참조)

만들기

0. 재료 준비하기 :: 장아찌 간장을 미리 준비해 둡니다.

1. 양파 손질하기 :: 양파는 껍질을 벗겨 깨끗이 씻어 물기를 제거한 다음, 6등분 합니다.

2. 담기 :: 준비해 둔 용기에 양파를 담고 고추도 2cm 길이로 잘라 함께 담아줍니다.

3. 간장 붓기 :: 준비해 둔 장아찌 간장을 재료가 잠기게 부어 주세요.

4. 숙성하기 :: 실온에서 3일 정도 숙성시킨 후 냉장 보관 합니다.

무 장아찌

077

반찬으로 한 입씩 먹을 수 있도록 만드는 무 장아찌에요.
시원한 무를 새콤달콤한 간장에 보관하여 맛을 들여주세요.
아삭함이 무척 매력적입니다.

재료
무 ½개, 청양고추 2개

양념
장아찌 간장 (p21 참조)

만들기

0. 재료 준비하기 :: 장아찌 간장을 미리 준비해 둡니다.

1. 무 손질하기 :: 무는 깨끗이 준비해 1cm 두께, 7cm 길이로 잘라두세요.

2. 고추 손질하기 :: 고추도 2cm 길이로 잘라줍니다.

3. 간장 붓기 :: 준비해 둔 용기에 ⅔ 정도 무를 담고, 장아찌 간장을 재료가 잠기게 부어주세요.

4. 숙성하기 :: 실온에서 3일 정도 숙성시킨 후 냉장 보관 합니다.

고추 장아찌

078

새콤달콤한 장아찌. 비율만 잘 조절해 만드는 장아찌 간장으로
다양한 재료의 장아찌를 쉽게 만들 수 있어요.
몸에 좋은 고추를 맛있게 먹을 수 있는 고추 장아찌를 만들어봐요.

재료
풋고추 300g

양념
장아찌 간장 (p21 참조)

만들기

0. 재료 준비하기 :: 장아찌 간장을 미리 준비해 둡니다.

1. 고추 손질하기 :: 고추는 깨끗이 씻어 물기를 제거하고 꼭지를 손질합니다.

2. 고추 구멍 내기 :: 고추에 간장이 잘 배이게 포크로 두 군데 구멍을 내주세요.

3. 간장 붓기 :: 준비해 둔 용기에 손질한 고추를 ⅔ 정도 담고, 장아찌 간장을 고추가 잠기게 부어줍니다.

4. 숙성하기 :: 실온에서 20일 정도 숙성시킨 후 냉장 보관 합니다.

Part. 5

한 그릇 한 끼

한 그릇으로 폼 나는

한 끼 식사.

쉽고 빠른

퀸으로 가능합니다.

새우 죽

명란 죽

전복 굴 죽

일본식 영양밥

궁중 떡볶이

콩나물 무밥

굴 소스 새우 덮밥

소고기 카레라이스

쌀국수 볶음

궁중식 골동면

새우 죽

079

키토산과 타우린, 칼슘 등이 풍부한 새우는 쫄깃하고 고소한 맛이 가득하죠.
조금 더 신경 써서 만든 육수로 진한 새우 죽의 맛을 더해주세요.

재료
새우(중) 10마리, 쌀 1컵, 불린 표고 2장,
양파 ¼개, 당근 30g, 애호박 ¼개,
물 10컵

양념
참기름 2큰술, 소금 약간

만들기

0. 재료 준비하기 :: 새우는 깨끗이 준비하여 껍질과 머리를 발라 대형 소스팬에 물 10컵을 넣어 육수를 끓여둡니다.

1. 쌀 불리기 :: 쌀은 깨끗이 씻어 1시간 정도 불려줍니다.

2. 쌀 끓이기 :: 웍에 쌀과 참기름을 넣어 쌀알이 투명해질 때까지 볶아주고 새우 육수 3컵을 넣어 인덕션 8단에서 끓여주세요.

3. 채소 끓이기 :: 당근과 양파, 호박, 불린 표고를 다지고, 애호박을 제외한 모든 채소를 (2)에 넣고 새우 육수 5컵을 넣어 푹 끓여줍니다.

4. 새우 살 다지기 :: 발라낸 새우 살은 다져주세요

5. 마무리하기 :: 쌀알이 푹 퍼지면 다진 새우와 애호박 다진 것을 넣어 5분 정도 끓이고 소금으로 간을 맞춰주세요.

명란 죽

080

명란은 단백질과 비타민 E의 함량이 높아 영양 만점입니다.
명란으로 만드는 젓갈인 명란젓은 짭짤한 맛이 입맛을 돋워줍니다.
명란젓으로 만드는 명란 죽. 톡톡 터지는 명란이 매력적입니다.

재료
쌀 1컵, 명란젓 3개, 불린 표고 2장,
애호박 ¼개, 황태 육수 6컵

양념
다진 마늘 1큰술, 다진 파 2큰술,
청주 2큰술

고명
다진 실파, 통깨, 참기름 약간씩

만들기

0. 재료 준비하기 :: 명란은 껍질을 벗겨 알만 발라 준비해두세요.

1. 쌀 불리기 :: 쌀은 깨끗이 씻어 1시간 정도 불려줍니다.

2. 쌀 끓이기 :: 웍에 쌀과 참기름을 넣어 쌀알이 투명해질 때까지 볶아주고, 준비해 둔 명란과 다진 마늘, 청주를 넣어 한 번 더 볶아준 다음 인덕션 8단에서 황태 육수 3컵을 넣어 끓여줍니다.

3. 재료 손질하기 :: 불린 표고와 애호박은 잘게 썰어주세요.

4. 채소 끓이기 :: 불린 표고와 다진 파를 넣고 1분 정도 더 섞어준 후, 나머지 황태 육수를 넣어 끓여주세요.

5. 마무리하기 :: 쌀알이 푹 퍼지면 애호박을 넣고 5분 정도 끓인 다음, 그릇에 담아 다진 실파와 통깨, 참기름을 얹어줍니다.

전복 굴 죽

081

깨끗한 바다에서 자라는 전복은
비타민, 미네랄, 칼슘 등의 영양소가 풍부해서
보양식으로 많이 사용하는 음식 재료죠.
바다의 영양덩어리들 전복과 굴을 이용해
영양 만점 전복 굴 죽을 만들어봅니다.

재료
찹쌀 1컵, 전복 중간 크기 3마리, 굴 350g

양념
새송이버섯 1개, 불린 표고 2개,
애호박 ¼개, 참기름 2큰술, 황태 육수 6컵,
치킨스톡 1개, 소금 약간

만들기

0. 재료 준비하기 :: 찹쌀은 2시간 이상 불리고, 전복은 솔로 깨끗하게 씻어 준비합니다. 굴은 소금물에 씻어 체에 밭쳐 물기를 빼주세요.

1. 전복 다루기 :: 깨끗한 전복은 숟가락으로 살만 떼어 내 얇게 썰어주세요.

2. 채소 다루기 :: 새송이버섯, 애호박, 표고버섯은 적당한 크기로 다져둡니다.

3. 찹쌀 볶기 :: 웍에 전복과 찹쌀을 넣고, 참기름을 넣어 인덕션 7단에서 볶다가, 찹쌀이 반투명해지면 황태 육수와 치킨스톡을 넣어 저어가며 5분간 끓여주세요.

4. 버섯 넣기 :: 쌀이 반쯤 익으면 죽의 농도를 보며 나머지 육수를 조금씩 넣고, 죽이 거의 다 퍼지면 다져 둔 버섯들을 넣어 10분 더 끓여주세요.

5. 완성하기 :: 부족한 간은 소금으로 맞추고, 호박과 굴을 넣어 한 번 더 끓여 마무리합니다.

일본식 영양밥

082

연근과 당근, 죽순 등 영양이 가득한 채소들을 넣은 일본식 영양밥입니다.
조려 둔 재료를 넣어 따끈하게 지어내는 영양밥.
맛도 좋고 보기도 좋아 한 그릇 한 끼 요리로 그만입니다.

재료
쌀 2½컵 (밥물 : 가츠오 육수 2½컵,
간장 1큰술, 청하 1큰술),
새송이버섯 2개, 연근 100g, 당근 50g,
죽순 100g, 유부 5장, 은행 10알

조림 양념
가츠오 육수 1컵, 조림 간장 3큰술,
미림 2작은술, 후춧가루 ¼작은술,
포도씨유 2큰술

Tip. 곁들임 양념장은 달래 간장이 잘 어울립
니다. 다진 달래 4큰술, 조림 간장 4큰술, 다
진 마늘 ⅔작은술, 참기름 1큰술, 통깨 2작은
술, 시치미 1작은술을 섞어주세요.

만들기

0. 재료 준비하기 :: 쌀은 씻어 30분 불린 후 체에 밭쳐 물기를 빼줍니다. 은행은 볶아서 준비해두세요.

1. 재료 손질하기 :: 새송이버섯은 0.3cm 두께로 슬라이스 하고, 유부도 먹기 좋은 크기로 썰어둡니다. 연근은 껍질을 벗겨 길이로 반을 갈라 0.2cm 두께로 썰고, 당근과 죽순도 편 썰기 해두세요.

2. 양념에 조리기 :: 대형 프라이팬에 조림 양념을 넣고, 인덕션 10단에서 끓으면 준비해 둔 부재료들을 모두 넣어 끓이다가, 수봉현상이 일어나면 뚜껑을 열고 조려줍니다.

3. 밥하기 :: 대형 프라이팬에 준비한 쌀과 밥물을 넣고 은행을 함께 넣어 인덕션 8단에서 가열합니다.

4. 재료 섞기 :: (3)의 대형 프라이팬에 수봉현상이 일어나면 뚜껑을 열어 모두 섞어준 후 조려 둔 부재료를 넣고 인덕션 5단에서 15분간 뜸을 들여주세요.

5. 담아내기 :: 영양밥이 완성되면 골고루 섞어 그릇에 담고, 양념장과 함께 냅니다.

궁중 떡볶이

083

지금은 간식으로 많이 먹지만, 떡볶이는 원래 궁중에서 먹는 음식이었어요.
간장으로 달콤하게 간을 해서 만들었죠.
소고기와 떡에 말린 채소들까지 넣어 고급스럽게 만든 궁중 떡볶이.
함께 만들어요.

재료
떡볶이 떡 500g, 간장 1작은술,
참기름 1작은술, 소고기 100g,
건 호박 50g, 건 가지 50g,
건 표고버섯 3개, 양파 ¼개, 청고추 1개,
홍고추 ½개, 통깨 2큰술, 포도씨유 1큰술

양념
간장 3큰술, 청주 1작은술, 설탕 2½큰술,
참기름 2큰술, 다진 파 1큰술,
후춧가루 ¼작은술

만들기

0. 재료 준비하기 :: 건 채소들은 따뜻한 물에 불려 물기를 꼭 짜 두고, 양념 재료는 모두 섞어 준비합니다.

1. 불린 채소 썰기 :: 불린 호박은 2등분, 불린 가지는 떡 길이로 썰고, 불린 표고버섯은 기둥을 떼고 얇게 썰어두세요.

2. 채소 손질하기 :: 청고추, 홍고추, 양파는 채 썰어둡니다.

3. 떡 손질하기 :: 떡볶이용 떡은 부드러운 것으로 준비해 간장과 참기름으로 밑간해두세요.

4. 고기 양념하기 :: 얇게 썰어둔 표고버섯과 채 썬 소고기는 만들어 둔 양념을 2큰술 넣고 10분 정도 재워둡니다.

5. 재료 볶기 :: 웍에 포도씨유를 두르고 양념해 둔 표고버섯과 소고기를 인덕션 8단에서 1분간 볶아주고, 불린 호박과 불린 가지, 양파를 넣어 한 번 더 볶아주세요.

6. 완성하기 :: 인덕션 6단으로 줄여 떡과 나머지 양념을 넣어 2분간 볶아준 다음, 인덕션 8단으로 다시 올려 청·홍고추 채와 통깨를 넣어 골고루 섞어 완성합니다.

콩나물 무밥

084

영양이 가득한 콩나물과 달달한 무를 넣고 만드는 콩나물 무밥입니다.
미리 재료만 준비되면 만들기 간편하답니다.
물 맞추는 게 걱정되시죠?
쌀과 동량의 물을 넣고, 쌀 1컵에 콩나물 100g인 비율을 기억해두세요.

재료
쌀 3컵, 콩나물 300g, 무 200g,
소고기 100g (간장 2작은술,
다진 마늘 1작은술, 설탕 1작은술,
참기름 ½작은술로 밑간), 참기름 2큰술

양념
간장 3큰술, 다진 쪽파 2큰술,
다진 마늘 2작은술, 설탕 1작은술,
참기름 1큰술, 고운 고춧가루 1작은술

만들기

0. 재료 준비하기 :: 양념장은 모두 섞어두고, 쌀은 깨끗이 씻어 동량의 물과 함께 웍에 담아둡니다.

1. 소고기 양념하기 :: 소고기는 밑간해둡니다.

2. 채소 손질하기 :: 콩나물은 깨끗이 씻어 물기를 빼두고, 무는 채 썰어주세요.

3. 밥하기 :: 쌀을 담아 둔 웍에 무와 소고기, 콩나물 순서로 올려 준 다음, 참기름을 두르고 뚜껑을 덮어 인덕션 8단에서 끓여주세요.

4. 뜸 들이기 :: 수봉현상이 일어나면 인덕션 6단으로 줄여 15분 정도 뜸들여 줍니다.

5. 담아내기 :: 콩나물 무밥이 완성되면 골고루 섞어 그릇에 담고, 양념장과 함께 냅니다.

굴 소스 새우 덮밥

085

마음까지 따뜻하게 덮어줄 것 같은 덮밥.
마땅한 반찬이 없을 때 만들면 좋은 덮밥은
밥과 반찬을 펼쳐놓고 먹는, 평상시 식사에 변화를 주는 좋은 방법입니다.
탱글탱글한 새우와 색감 있는 파프리카로 간단하고 맛있게 만들어보세요.

재료 (1인분 기준)
밥 1공기, 생새우살 ½컵,
주황 파프리카 ¼개, 양파 ½개,
다진 마늘 2작은술, 녹말물 1큰술,
포도씨유 1큰술

양념
조림 간장 1큰술, 굴 소스 1큰술,
고추기름 1큰술, 물 1큰술

만들기

0. 재료 준비하기 :: 새우 살은 소금물 (물 2컵, 소금 ½작은술)
에 넣고 흔들어 씻은 뒤 물기를 제거해줍니다.

1. 채소 썰기 :: 파프리카와 양파는 사방 2cm 크기로 썰어주세
요.

2. 향 내기 :: 중형 프라이팬에 포도씨유를 두르고, 양파와 다
진 마늘을 넣고 인덕션 8단에서 30초 정도 볶아서 향을 내줍
니다.

3. 새우 익히기 :: (2)에 새우 살을 넣고 1분간 더 볶아줍니다.

4. 양념 넣기 :: 양념을 모두 넣고 30초 정도 끓여준 다음, 파
프리카를 넣어주세요.

5. 담아내기 :: 녹말물을 넣어 농도가 걸쭉해지면, 불을 끄고
밥 위에 덮어줍니다.

소고기 카레라이스

086

몸에 좋은 강황이 들어있는 카레.
가장 쉽게 즐기는 방법이 카레라이스인 것 같아요.
감자와 당근을 미리 삶아서 냉동해 두면 시간을 절약할 수 있답니다.
여름철 채소가 저렴할 때 도전해보세요.

재료
소고기 60g, 다진 마늘 ½작은술,
감자 40g, 당근 30g, 양파 ¼개,
양송이버섯 3개, 청피망 ¼개, 마늘 5개

양념
다시마 육수 250cc, S&B카레 1쪽,
포도씨유 1작은술

Tip. 카레를 붓기 전, 밥 위에 슬라이스 치즈
를 한 장 올려보세요. 고소하고 부드러운 맛
이 일품입니다.

만들기

0. 재료 준비하기 :: 당근과 감자는 깍둑썰기 해두세요.

1. 채소 썰기 :: 양송이버섯은 반으로 잘라두고, 피망과 양파도
비슷한 크기로 썰어둡니다.

2. 마늘 볶기 :: 중형 프라이팬에 포도씨유를 두르고, 인덕션 6
단에서 마늘을 겉면이 노릇해질 때까지 볶아주세요.

3. 재료 볶기 :: (2)에 소고기와 양파를 넣어 함께 볶아준 다음,
당근과 감자를 넣어 함께 볶아줍니다.

4. 육수 끓이기 :: (3)의 소고기가 익으면 다시마 육수를 넣고
인덕션 8단에서 끓여주세요.

5. 카레 끓이기 :: 육수가 끓어오르고 감자가 투명해지면 양송
이버섯을 넣고, 고형 카레 1쪽을 넣은 다음 고루 섞어주세요.

6. 완성하기 :: 카레가 고루 풀어지면 청피망을 넣고 한소끔 끓
여냅니다.

쌀국수 볶음

087

소화가 잘 되는 쌀로 만든 국수를 간장양념으로 볶아주는 쌀국수 볶음입니다.
외국 요리라서 친근하지 않다고요? 전혀 걱정 없습니다.
요즘은 큰 마트에만 가도 쌀국수가 두께별로 다 있거든요.
색다른 한 그릇 요리. 만들어보세요.

재료
쌀국수 면 100g, 닭 안심 3쪽, 숙주 100g,
느타리버섯 30g, 양파 ¼개,
삼색 파프리카 ¼개씩, 베트남 고추 5개,
포도씨유 1큰술

양념
양조간장 1큰술, 굴 소스 1½큰술,
청주 2큰술, 다진 마늘 1큰술,
다진 파 2큰술, 참기름 2큰술,
설탕 1작은술, 소금 약간

Tip. 더욱 이국적인 느낌을 주고 싶다면, 스크램블 에그를 미리 준비해서 마지막에 섞어주세요.

만들기

0. 재료 준비하기 :: 쌀국수 면은 차가운 물에 1시간 불려두고, 양념은 모두 섞어두세요.

1. 채소 손질하기 :: 느타리버섯은 길이로 찢고, 양파와 파프리카는 채 썰어 준비합니다.

2. 고기 손질하기 :: 닭고기는 채 썰어 준비해두세요.

3. 재료 볶기 :: 웍에 포도씨유를 두르고, 인덕션 6단에서 베트남 고추를 넣어 볶다가 닭고기를 넣어 볶아줍니다.

4. 면 넣기 :: 불려 둔 면과 준비해 둔 양념 ½을 넣어 뚜껑 덮고 1분간 익힙니다.

5. 완성하기 :: (4)에 양파와 느타리버섯을 섞어주고, 숙주와 파프리카, 나머지 양념을 넣어 볶아서 마무리합니다.

궁중식 골동면

088

비빔국수의 고급스러운 이름인 골동면.
소고기와 표고버섯으로 궁중식 고급 음식을 만들어봅니다.
색다른 요리가 필요할 때 아주 좋은 음식이랍니다.

재료 (1인분 기준)
수연소면 100g, 오이 100g, 배 ⅛개,
소고기 100g, 불린 표고 2개, 홍고추 ½개

소고기·버섯 양념
간장 1작은술, 설탕 1작은술,
참기름 ½작은술, 다진 마늘 ¼작은술,
다진 파 1작은술

국수 양념
간장 1큰술, 설탕 ½큰술, 참기름 ½큰술,
깨소금 1큰술, 실파 20g, 양송이 1개,
고추기름 1½큰술

만들기

0. 재료 준비하기 :: 소고기는 채 썰어 준비합니다.

1. 고기 재우기 :: 불린 표고는 채 썰어 소고기와 함께 양념에 재워둡니다.

2. 채소 손질하기 :: 오이와 홍고추는 가늘게 채 썰어 찬물에 담가두고, 배도 가늘게 채를 썰어두세요.

3. 양념 만들기 :: 양송이는 다지고, 실파는 송송 썰어 국수 양념을 모두 섞어둡니다.

4. 고기 볶기 :: 중형 프라이팬에 포도씨유를 두르고 양념해 둔 소고기와 표고버섯을 인덕션 6단에서 5분 정도 볶아준 다음 꺼내 식혀두세요.

5. 국수 삶기 :: 대형 소스팬에 국수를 삶아줍니다. 끓는 물에 면을 넣고 4분 삶고, 찬물을 부어준 다음 1분 더 삶아 맑은 물이 나올 때까지 비비면서 헹궈주세요.

6. 국수 비비기 :: 돔형 뚜껑에 국수, 오이, 소고기와 버섯, 국수 양념을 모두 넣어 버무리고, 그릇에 담아 채 썬 홍고추와 배를 올려 마무리합니다.

Part. 6

간식과 디저트

퀸으로 만드는

소중한 시간.

가족들을 위해

간식과 디저트를 만듭니다.

뱅 쇼

계피의 따뜻한 성질이 몸에 온기를 돌게 해서
감기 예방에 좋다고 소문난 뱅 쇼 (Vin Chaud).
적포도주의 폴리페놀 성분에, 과일들도 첨가되어 비타민까지 더해줍니다.
독일에서는 글루바인, 미국에서는 뮬드 와인이라고 부르는데요.
많이 만들어 두고 마실 때마다 데워서 마셔도 되니,
어른들의 감기 예방약으로 준비해도 좋을 것 같아요.

재료
레드와인 1병(750ml), 오렌지 ½개,
사과 ½개, 레몬 ½개, 시나몬 스틱 2개,
정향 5알, 황설탕 5큰술

만들기

0. 재료 준비하기 :: 레드와인은 저렴한 것으로 준비합니다.

1. 과일 손질하기 :: 사과와 오렌지, 레몬은 얇게 슬라이스 하세요.

2. 와인 끓이기 :: 대형 소스팬에 와인과 모든 재료를 넣어 인덕션 10단으로 가열합니다.

3. 뭉근히 데우기 :: 와인이 끓으면 인덕션 5단으로 낮추고 1시간 동안 뭉근하게 데워주세요.

4. 완성하기 :: 완성된 뱅 쇼는 잔에 담고, 시나몬 스틱으로 장식합니다.

루돌프
떡 케이크

090

떡으로 만드는 케이크. 요즘은 쉽게 만나볼 수 있지요?
백설기와 코코아 파우더가 만나 맛있는 초코케이크가 되었습니다.
다양한 장식용 틀을 사용하여 멋진 모습을 만들 수 있습니다.

재료
멥쌀 가루 400g, 물 6큰술,
코코아 파우더 3큰술, 설탕 2큰술,
초콜릿 칩 ½컵, 포도씨유 약간

장식
슈가 파우더 4큰술, 코코아 파우더 4큰술,
커피 빈 2개, 방울토마토 1개

Tip. 수분을 잘 맞춰야 떡이 잘 됩니다. 특히
멥쌀로 떡을 할 때는 가루에 물을 잘 섞고, 주
먹으로 꼭 쥐어 5초 후 손 위에서 통통 튀겨봐
서 부서지지 않는 정도가 되어야 합니다.

만들기

1. 수분 맞추기 :: 멥쌀 가루에 코코아 파우더를 섞은 다음, 수
분을 맞춰 체에 두 번 내려줍니다.

2. 설탕 섞기 :: 체에 내린 쌀가루에 설탕을 넣어 훌훌 섞어주
세요.

3. 찜 세팅하기 :: 스티머에 젖은 면보와 실리콘 시루밑을 깔
고, 포도씨유를 꼼꼼히 바른 원형 틀을 넣어주세요.

4. 가루 넣기 :: 원형 틀에 준비해 둔 가루를 반정도 넣고, 살살
펴주세요. 초콜릿 칩을 넣고 남은 가루를 넣어 윗면이 고르게
정리해 줍니다.

5. 떡 찌기 :: 김이 오른 스튜포트에 스티머를 얹고, 마른 면보
를 덮은 다음, 인덕션 10단에서 25분 쪄주세요.

6. 장식하기 :: 쪄진 떡은 한 김 식힌 후 루돌프 패턴을 올리고
슈가 파우더를 고르게 뿌린 다음, 커피 빈과 방울토마토로 눈
과 코를 장식합니다.

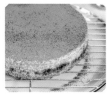

밤을 넣은
롤 떡케이크

091

고소한 밤을 소로 만들어 넣은 롤 떡케이크입니다.
롤 케이크에 쫄깃함이 더해졌답니다.
자색고구마 가루로 예쁜 보라색 롤 떡케이크를 만들어봐요.

재료
멥쌀 가루 250g, 찹쌀 가루 150g,
자색고구마 가루 1큰술, 우유 4큰술,
설탕 3큰술, 밤 페이스트 150g,
맛밤 1봉(80g)

Tip. 밤 조림 만드는 방법입니다. 설탕과 물을 5큰술씩 동량으로 넣어 인덕션 6번에서 젓지 말고 시럽을 만들어주세요. 완성 된 시럽을 인덕션 4단으로 낮추고 밤을 넣어 조려줍니다.

만들기

0. 재료 준비하기 :: 밤 조림을 으깨 준비해두세요. 취향에 따라 꿀 1큰술과 유자원 1큰술을 넣어 맛을 더해줄 수도 있습니다.

1. 수분 맞추기 :: 멥쌀 가루와 찹쌀 가루, 자색고구마 가루를 잘 섞어 우유로 수분을 맞추고 체에 두 번 내려주세요.

2. 설탕 섞기 :: 체에 내린 쌀가루에 설탕을 넣어 훌훌 섞어줍니다.

3. 찜 세팅하기 :: 스티머에 젖은 면보와 실리콘 시루밑을 깔고, 포도씨유를 꼼꼼히 바른 사각 틀을 넣어준 다음, 쌀가루를 넣고 윗면을 고르게 정리해주세요.

4. 떡 찌기 :: 김이 오른 스튜포트에 스티머를 얹고, 마른 면보를 덮은 다음, 인덕션 10단에서 20분 쪄주세요.

5. 롤 말기 :: 쪄진 떡은 꺼내어 한 김 식힌 후 밀대로 살짝 밀어주고, 으깨 둔 밤을 안쪽에 깔아준 다음, 장식용 맛밤을 올려 말아줍니다.

6. 굳혀주기 :: 완성된 롤 떡케이크를 유산지로 말아준 다음, 냉동실에 2시간 정도 굳혀 모양을 잡아주세요.

간식과 디저트

쫀득한 브라우니

092

떡으로 만들어 더욱 쫀득한 브라우니입니다.
쪄내는 떡이 아니라
프라이팬에서 구워내는 고소하고 달콤한 브라우니를 만나보세요.

재료
찹쌀 가루 3컵, 호두 100g,
코코아 파우더 2큰술, 우유 1컵, 달걀 60g,
설탕 7큰술, 포도씨유 1큰술, 초콜릿 120g

만들기

0. 재료 준비하기 :: 호두는 4~6등분 하거나 분태로 준비합니다.

1. 가루 반죽하기 :: 쌀가루와 코코아 파우더를 섞어 체에 한 번 내려준 다음 우유와 설탕, 달걀을 넣어 반죽하고 포도씨유를 조금씩 넣으며 섞어주세요.

2. 속 재료 넣기 :: 반죽에 호두를 2큰술 남기고 모두 넣어 섞어줍니다.

3. 초콜릿 중탕하기 :: 중형 소스팬에 초콜릿을 담고 인덕션 보온기능 50도에서 중탕으로 녹여 반죽에 넣어주세요.

4. 세팅하기 :: 사각 틀에 유산지를 깔고 반죽을 붓고, 남겨둔 호두를 위쪽에 뿌려줍니다.

5. 굽기 :: 대형 프라이팬에 세팅된 틀을 넣고 인덕션 10단에서 2분, 4단에서 50분간 구워주세요.

초코볼 떡

093

아이들은 떡보다는 빵을 더 좋아하죠?
귀여운 경단 모양의 초코볼 떡을 주세요.
잘 치댄 떡은 쫄깃함이 살아있답니다.
다양한 옷을 입은 초코볼 떡. 아이들이 무척 좋아한답니다.

재료
멥쌀 가루 300g, 물 6큰술,
코코아 파우더 1큰술

장식
생크림 ⅓컵, 다크 초콜릿 50g,
코코피너츠 50g, 코코넛 파우더 50g,
초코 크런치 50g

Tip. 떡을 치댈 때는 식기 전에 해야 합니다.
떡장갑을 꼭 착용하고 손을 데지 않도록 조심
합니다.

만들기

1. 수분 맞추기 :: 멥쌀 가루에 코코아 파우더를 섞어주고 물을
넣어 수분을 맞춰줍니다.

2. 찜 세팅하기 :: 스티머에 젖은 면보와 실리콘 시루밑을 깔
고, 그 위에 수분을 맞춘 쌀가루를 듬성듬성 넣어 주세요.

3. 떡 찌기 :: 김이 오른 스튜포트에 스티머를 얹고, 마른 면보
를 덮은 다음, 인덕션 10단에서 15분 쪄주세요.

4. 초콜릿 중탕하기 :: 중형 소스팬에 생크림과 다크 초콜릿을
넣어 보온기능 50도로 중탕합니다.

5. 볼 만들기 :: 쪄진 떡은 꺼내 치대어 한 덩어리를 만들고,
30g 정도씩 떼어 동그랗게 빚어 꼬치에 꽂아주세요.

6. 장식하기 :: 완성된 볼에 중탕한 초콜릿 시럽을 묻힌 다음,
코코피너츠와 코코넛 파우더, 초코 크런치를 묻혀줍니다.

감 콩 설기

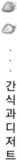

094

달콤한 곶감과 완두배기를 넣어 만드는 백설기에요.
곶감의 주황색과 완두콩의 초록색이 아주 예쁜 떡이랍니다.
작게 만들어서 선물하기에도 좋아요.

재료
멥쌀 가루 400g, 물 6큰술,
완두배기 100g, 다진 곶감 100g,
설탕 3큰술

Tip. 가루를 눌러 담으면 쌀가루의 밀도가 높아져서 김이 올라오지 않기 때문에 떡 속이 익지 않습니다. 틀에 담을 때는 살살 담고 절대로 꾹꾹 누르지 마세요.

만들기

0. 재료 준비하기 :: 곶감은 완두배기 크기로 미리 다져둡니다.

1. 수분 맞추기 :: 멥쌀 가루에 물을 넣어 수분을 맞추고 체에 한 번 내려주세요.

2. 속 재료 섞기 :: 체에 내린 쌀가루에 설탕을 넣고, 완두배기와 곶감을 넣어 훌훌 섞어줍니다.

3. 찜 세팅하기 :: 스티머에 젖은 면보와 실리콘 시루밑을 깔고, 포도씨유를 꼼꼼히 바른 원형 틀을 넣어준 다음, 쌀가루를 살짝 넣고 윗면을 고르게 정리해주세요. 맨 위에 장식용 고명을 올려주세요.

4. 떡 찌기 :: 김이 오른 스튜포트에 스티머를 얹고, 마른 면보를 덮은 다음, 인덕션 10단에서 20분 쪄줍니다.

쑥굴레

095

쑥굴리 또는 쑥굴레라고 불리는 이 떡은 거피팥 고물 고명을 가진 떡이에요.
봄철 쑥이 자랄 때 쑥 향기 가득하게 만들어 먹는 떡인데
경상남도 향토음식이면서 고급 재료들이 들어가는 궁중음식이랍니다.
원래 모양은 동그랗게 경단처럼 생겼지만
틀에 굳혀서 썰어 간단하게 만들어봐요.

재료
찹쌀 가루 300g, 설탕 2큰술, 물 2큰술,
쑥 가루 2큰술, 거피팥 고물 200g,
유자원 1큰술, 꿀 1큰술

Tip. 요리 시연에는 아치형 양갱 틀을 사용했습니다. 집에서는 김발이나 쿠킹포일 상자 등을 활용하시면 됩니다. 아무것도 없으면 그냥 손으로 모양 잡아 굳혀도 됩니다.

만들기

1. 수분 맞추기 :: 찹쌀 가루에 수분을 맞추고 쑥 가루를 섞어 체에 한 번 내려주세요.

2. 찜 세팅하기 :: 체에 내린 쌀가루에 설탕을 넣어 훌훌 섞어 준 다음, 스티머에 젖은 면보와 실리콘 시루밑을 깔고, 쌀가루를 한 줌씩 쥐어 앉혀줍니다.

3. 떡 찌기 :: 김이 오른 스튜포트에 스티머를 얹고, 마른 면보를 덮은 다음, 인덕션 10단에서 20분 쪄주세요.

4. 소 만들기 :: 쌀가루가 쪄지는 동안 팥고물과 유자원, 꿀을 섞어 소를 만들어 길쭉하게 빚어둡니다.

5. 떡 말기 :: 쪄진 떡은 꺼내 치대어 준 후, 반죽을 직사각형으로 만들어 소를 넣고 말아줍니다.

6. 굳혀주기 :: 아치형 양갱 틀에 유산지를 깔고, 말아둔 떡을 넣어 냉동실에 2시간 정도 굳혀 모양을 잡아준 다음 알맞은 크기로 썰어주세요.

쑥갠떡

096

그윽한 쑥 향을 풍성하게 누릴 수 있는 쑥갠떡은
익반죽한 쌀가루로 동글동글 빚어 쪄내고 참기름을 바르는,
쫄깃함이 매력적인 떡이랍니다.
만들기도 쉽고, 봄의 향기를 언제든지 느낄 수 있는 쑥갠떡을 소개합니다.

재료
쑥 쌀가루 300g, 설탕 2큰술,
뜨거운 물 7~8큰술, 포도씨유 1큰술,
참기름 1큰술

Tip. 떡을 너무 오래 찌면 퍼지게 됩니다.
너무 두껍지 않도록 만들어주세요.

만들기

0. 재료 준비하기 :: 삶은 쑥을 넣어 빻은 쑥 쌀가루를 준비합니다.

1. 익반죽 하기 :: 쑥 쌀가루에 설탕을 넣어 섞은 다음, 뜨거운 물을 넣어 5분 정도 치대면서 말랑말랑하게 익반죽하세요.

2. 떡 빚기 :: 떡 반죽을 밤알 크기로 잘라 타원형으로 빚은 후 젓가락으로 꾹 눌러 모양을 내줍니다.

3. 찜 세팅하기 :: 스티머에 젖은 면보와 실리콘 시루밑을 깔고, 빚어놓은 떡을 올려주세요.

4. 떡 찌기 :: 김이 오른 스튜포트에 스티머를 얹고, 마른 면보를 덮은 다음, 인덕션 10단에서 8분 쪄주세요.

5. 완성하기 :: 쪄진 떡은 꺼내어 서로 붙지 않도록 포도씨유와 참기름을 섞어 발라줍니다.

감 말랭이 찰떡

097

가을이면 만날 수 있는
부드러운 연시와 쫄깃한 감 말랭이를 넣어 찰떡을 만들어요.
떡과 고물을 켜켜이 쌓아 올려 달콤한 맛을 풍성하게 느낄 수 있답니다.

재료
찹쌀 가루 1kg, 연시 1개, 설탕 7큰술,
감 말랭이 100g, 대추꽃

고물
거피팥 고물 3컵, 소금 ½큰술, 설탕 3큰술

만들기

0. 재료 준비하기 :: 감 말랭이는 굵게 다져둡니다.

1. 수분 맞추기 :: 찹쌀 가루에 연시를 넣어 손으로 비벼 수분을 확인한 후 체에 한 번 내려주세요.

2. 고물 만들기 :: 거피팥 고물에 설탕과 소금을 섞어서 준비합니다.

3. 설탕 섞기 :: 체에 내린 쌀가루에 설탕과 감 말랭이를 넣어 섞어주세요.

4. 찜 세팅하기 :: 스티머에 젖은 면보와 실리콘 시루밑을 깔고, 옆면도 실리콘 매트를 돌린 다음, 팥고물 ⅓, 쌀가루 ½, 다시 팥고물 ⅓, 쌀가루 ½, 마지막으로 나머지 고물을 ⅓ 켜켜이 넣어주세요.

5. 떡 찌기 :: 김이 오른 스튜포트에 스티머를 얹고, 마른 면보를 덮은 다음, 인덕션 10단에서 25분 쪄주세요.

6. 완성하기 :: 다 쪄낸 떡은 먹기 좋게 썰어주세요.

건 과일
찰떡

098

새콤달콤한 건 과일은 주로 파인애플, 구아바 등
이국적인 재료들로 구성되어 있어요.
이런 이국적인 과일들도 맛있는 떡을 만들 수 있답니다.
찰떡을 먼저 쪄서 나중에 고명을 넣어 치대는, 아주 간단한 방법이에요.

재료
찹쌀 가루 400g, 유자원 4큰술,
유기농 설탕 1~2큰술, 건 과일 ¾컵

만들기

0. 재료 준비하기 :: 건 과일에 유자원을 더해서 불려주세요.

1. 설탕 섞기 :: 찹쌀 가루에 유기농 설탕을 넣어 훌훌 섞어줍니다.

2. 찜 세팅하기 :: 스티머에 젖은 면보와 실리콘 시루밑을 깔고, 찹쌀 가루를 앉혀주세요.

3. 떡 찌기 :: 김이 오른 스튜포트에 스티머를 얹고, 마른 면보를 덮은 다음, 인덕션 10단에서 20분 쪄주세요.

4. 떡 치대기 :: 쪄진 떡은 꺼내어 준비해 둔 건 과일을 넣어 잘 치대줍니다.

5. 굳혀주기 :: 구름떡 틀에 종이포일을 깔고, 건 과일 넣은 찰떡을 꼭꼭 눌러 담은 다음, 냉동실에서 굳혀 1cm 두께로 썰어주세요.

바람떡

099

바람떡은 소를 넣고 반으로 접어 반달모양을 만들 때
바람이 들어가게 하였다고 해서 붙은 이름입니다.
개피떡이라고도 부르죠.
멥쌀 가루로 만들지만 쫄깃한 맛이 일품이랍니다.

재료
멥쌀 가루 500g, 물 8큰술, 거피팥 150g,
설탕 1½큰술, 꿀 1작은술, 참기름 2큰술,
포도씨유 2큰술

Tip. 바람떡은 일반 떡보다 수분이 많이 들어
가므로 체에 내릴 필요가 없습니다. 틀이 없
으면 적당한 크기의 종지 등을 사용하면 됩니
다.

만들기

1. 찜 세팅하기 :: 쌀가루에 수분을 주어 잘 섞어주고, 스티머
에 젖은 면보와 실리콘 시루밑을 깔고, 쌀가루를 안쳐줍니다.

2. 떡 찌기 :: 김이 오른 스튜포트에 스티머를 얹고, 마른 면보
를 덮은 다음, 인덕션 10단에서 20분 쩌주세요.

3. 소 만들기 :: 떡이 쩌지는 동안 거피팥과 꿀, 설탕을 넣어 소
를 만들어둡니다.

4. 떡 밀기 :: 쩌진 떡은 치대어 반죽이 매끈하게 만들고, 일부
를 떼서 길게 밀어줍니다. 남은 반죽은 마르지 않도록 젖은 면
보에 싸두세요.

5. 모양 만들기 :: 밀어준 반죽 중간에 소를 살짝 얹고, 아래쪽
반죽으로 소를 덮은 다음, 바람떡 틀로 꾹 눌러 모양을 만듭니
다.

6. 완성하기 :: 참기름과 포도씨유를 섞어 바람떡에 발라주세
요.

부편

100

경상도 지방에서 즐겨 먹는 부편은
익반죽한 찹쌀 가루로 쫄깃하게 빚은 떡에
달콤한 소가 들어있는 귀여운 떡이에요.
대추채나 곶감채, 밤채 등을 올려 예쁘게 만들어요.

재료
찹쌀 가루 500g, 뜨거운 물 10큰술,
대추 3개, 녹두 고물 3컵

고물
거피팥 1½컵, 소금 ⅓작은술,
설탕 2작은술, 꿀 ⅓작은술,
계핏가루 ⅓작은술, 대추 다짐 2큰술

Tip. 크기에 따라 조금 더 익혀야 하는 경우도
있습니다. 떡의 두께와 찜 시간을 잘 맞춰주
세요.

만들기

0. 재료 준비하기 :: 대추는 씨를 빼고 3개 분량은 채썰어두고,
2큰술 분량은 다져둡니다.

1. 소 만들기 :: 고물 재료를 모두 섞어 갸름하게 뭉쳐 소를 만
들어두세요.

2. 떡 빚기 :: 찹쌀 가루에 뜨거운 물을 넣어 익반죽 하고, 적당
한 크기로 떼어, 만들어 놓은 소를 넣고 오므려 타원형으로 모
양을 잡은 다음 대추 고명을 올려줍니다.

3. 찜 세팅하기 :: 스티머에 젖은 면보와 실리콘 시루밑을 깔
고, 녹두 고물 1컵을 깔고 만들어 둔 떡을 하나씩 얹어준 다
음, 남은 녹두 고물을 덮어주세요.

4. 떡 찌기 :: 김이 오른 스튜포트에 스티머를 얹고, 마른 면보
를 덮은 다음, 인덕션 10단에서 5분 쪄주고, 완성되면 고물을
묻혀가며 하나씩 꺼내어 식혀줍니다.

팥
시루떡

101

붉은 팥고물로 만드는 팥 시루떡.
켜를 두툼하게 만들어 먹던 팥 시루떡은 평안을 기원하고,
무사함을 비는 떡이랍니다.
요리 시연에는 작은 틀을 사용하여 귀엽게 만들어 보았어요.

재료
멥쌀 가루 300g, 찹쌀 가루 100g,
설탕 3큰술

고물
붉은 팥고물 300g, 설탕 1큰술

Tip. 스티머 가득 시루떡을 찔 때는 위 재료의
3배 정도 분량을 준비합니다. 재료를 켜켜이
담고 20분 정도 쪄주세요.

만들기

1. 수분 맞추기 :: 멥쌀 가루와 찹쌀 가루는 섞어 수분을 맞추
고 체에 한 번 내려주세요.

2. 설탕 섞기 :: 체에 내린 쌀가루에 설탕을 넣어 훌훌 섞어줍
니다.

3. 고물 만들기 :: 붉은 팥고물에 설탕을 넣어 섞어두세요.

4. 찜 세팅하기 :: 스티머에 젖은 면보와 실리콘 시루밑을 깔
고, 포도씨유를 꼼꼼히 바른 사각 틀을 넣어준 다음, 팥고물,
쌀가루, 팥고물, 쌀가루, 팥고물 순으로 재료를 살살 펴서 켜
켜이 담아 줍니다.

5. 떡 찌기 :: 김이 오른 스튜포트에 스티머를 얹고, 마른 면보
를 덮은 다음, 인덕션 10단에서 15분 쪄주세요.

현미 찰떡

102

집에서 간식으로 만드는 찰떡은 빵보다도 더 쉽답니다.
정확한 분량과 찜 시간만 맞춰주면 언제고 성공적인 떡이 나오거든요.
몸에 좋은 현미와 고소한 견과류로 만드는 현미 찰떡입니다.
한번 도전해 보세요.

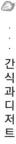

재료
현미 찹쌀 가루 500g, 찹쌀 가루 100g,
설탕 6큰술, 물 6큰술

양념
피칸 50g, 아몬드 슬라이스 50g,
크랜베리 50g, 완두배기 50g

Tip. 구수한 현미와 푸짐하게 들어간 고명으
로 간식이나 바쁜 아침 식사대용으로도 좋답니
다. 따뜻한 녹차, 매콤달콤한 생강차 등과
곁들여 보세요.

만들기

0. 재료 준비하기 :: 피칸은 작게 자르고 아몬드 슬라이스와 함께 살짝 볶아둡니다.

1. 수분 맞추기 :: 현미 찹쌀 가루와 찹쌀 가루를 잘 섞어 수분을 맞춘 다음 설탕을 넣어 훌훌 섞어주세요.

2. 고명 섞기 :: 준비된 쌀가루에 고명을 넣어 섞어줍니다.

3. 찜 세팅하기 :: 스티머에 젖은 면보와 실리콘 시루밑을 깔고, 고명을 섞어둔 쌀가루를 한 줌씩 쥐어 앉혀주세요.

4. 떡 찌기 :: 김이 오른 스튜포트에 스티머를 얹고, 마른 면보를 덮은 다음, 인덕션 10단에서 30분 쪄주세요.

5. 치대기 :: 쪄진 떡은 꺼내어 잘 치대줍니다.

6. 굳혀주기 :: 구름떡 틀에 유산지를 깔고 치대준 떡을 넣어 꾹꾹 눌러주고, 냉동실에 1시간 정도 굳혀 모양을 잡아 썰어주세요.

흑미 영양 찰떡

103

구수한 흑미는 항산화, 항암효과가 뛰어나다는 안토시아닌이 풍부하죠.
견과류를 넣어 맛과 영양을 더해준 흑미 영양 찰떡입니다.

재료
찹쌀 가루 400g, 흑미 찹쌀 가루 100g,
설탕 시럽 5큰술, 물 2큰술

고명
대추 30g, 호두 분태 50g,
해바라기 씨 50g, 아몬드 슬라이스 50g

Tip. 설탕 시럽을 넣으면 촉촉한 느낌이 강해
지며 잘 굳어지지 않아 더욱 쫄깃하답니다.

만들기

0. 재료 준비하기 :: 대추는 잘게 썰어 준비하고, 호두도 분태
로 준비합니다.

1. 수분 맞추기 :: 찹쌀 가루에 흑미 찹쌀 가루를 넣어 잘 섞어
주고, 설탕 시럽과 물을 넣어 수분을 맞춰주세요.

2. 고명 섞기 :: 준비된 쌀가루에 고명 재료를 고루 버무려줍니
다.

3. 찜 세팅하기 :: 스티머에 젖은 면보와 실리콘 시루밑을 깔
고, 준비된 쌀가루를 한 주먹씩 넣어주세요.

4. 떡 찌기 :: 김이 오른 스튜포트에 스티머를 얹고, 마른 면보
를 덮은 다음, 인덕션 10단에서 25분 쪄주세요.

5. 치대기 :: 쪄진 떡은 꺼내어 잘 치대줍니다.

6. 굳혀주기 :: 구름떡 틀에 유산지를 깔고 치대준 떡을 넣어
꾹꾹 눌러주고, 냉동실에 2시간 정도 굳혀 모양을 잡아 썰어
주세요.